CONTOS COM NÍVEL

Ana Sousa Martins

QECR
Nível B2

Lidel – edições técnicas, lda

A **Lidel** adquiriu este estatuto através da assinatura de um protocolo com o **Camões – Instituto da Cooperação e da Língua**, que visa destacar um conjunto de entidades que contribuem para a promoção internacional da língua portuguesa.

Edição e Distribuição
Lidel – Edições Técnicas, Lda.
Rua D. Estefânia, 183, r/c Dto. – 1049-057 Lisboa
Tel.: +351 213 511 448
lidel@lidel.pt
Projetos de edição: editoriais@lidel.pt
www.lidel.pt

Livraria
Av. Praia da Vitória, 14 A – 1000-247 Lisboa
Tel.: +351 213 541 418
livraria@lidel.pt

ISBN edição impressa: 978-989-752-290-1
1.ª edição impressa: novembro 2017
Reimpressão de abril 2022

Conceção de *layout*: Pedro Santos
Paginação: Carlos Mendes
Impressão e acabamento: Cafilesa – Soluções Gráficas, Lda. – Venda do Pinheiro
Dep. Legal: 433818/17

Capa: José Manuel Reis
Imagem da capa: © Saquizeta

Imagens: www.shutterstock.com

Todos os nossos livros passam por um rigoroso controlo de qualidade, no entanto, aconselhamos a consulta periódica do nosso *site* (www.lidel.pt) para fazer o *download* de eventuais correções.

Índice

Introdução

Ler numa língua estrangeira não é tarefa fácil. Quer os textos literários, quer os textos jornalísticos, biografias ou relatos têm o público falante nativo como público-alvo. Isto quer dizer que os autores pressupõem que o leitor domina aproximadamente 20 mil palavras da língua comum, estruturas sintáticas complexas, sugestões irónicas, alusões a um conhecimento contextual consabido, etc.

Não é de admirar, portanto, que seja relativamente raro ver um aluno de proficiência inicial ou intermédia a ler abundante e autonomamente numa língua estrangeira, neste caso em português. O esforço que ele tem de aplicar nessa empresa – a de ler textos de comunicação entre falantes nativos – é realmente elevado e ele acaba por desistir. Decide, possivelmente, relegar a tarefa de ler um livro inteiro para quando já tiver uma proficiência avançada.

Ora, esta opção é um erro. Não são nem um nem dois estudos que mostram que a prática da leitura extensiva (de livros, não apenas de excertos) é um forte impulsionador da aquisição não só de vocabulário, mas também da gramática, refletindo-se até positivamente no desempenho da escrita. Além do mais, a leitura extensiva é um ato autónomo, não carece de orientação de um tutor ou professor (o que não invalida que seja implementada num programa escolar). Há ainda outra vantagem: é que a leitura integral de um livro permite que o aluno esteja exposto à língua durante várias horas, o que é particularmente valioso quando ele não está em contexto de imersão. **A leitura extensiva é, pois, uma oportunidade única de exposição durativa e independente a uma língua estrangeira**.

Parece paradoxal então que, havendo inúmeras vantagens na leitura extensiva, ela seja ao mesmo tempo tão inacessível ao aluno. Nesta coleção propõe-se exatamente anular esse paradoxo, regulando o grau de dificuldade dos textos. **São pequenas histórias construídas propositadamente para aprendentes de um dado nível de proficiência, observando criteriosamente o tipo de palavras usadas (mais ou menos frequentes), o número e tipo de frases complexas, o modo como são feitas as articulações de sentido de frase para frase e de parágrafo para parágrafo e ainda explicitando em glosa, na margem da página, o significado de algumas palavras ou informações histórico-culturais.**

O objetivo imediato deste *Contos com Nível B2* é, pois, oferecer uma **leitura fácil através da criação regulada de dez histórias – umas insólitas, outras pícaras, outras simplesmente divertidas – tendo em mente que o leitor tem uma proficiência de nível intermédio em português.** Há assumidamente um intuito pedagógico neste projeto, mas é inegável que há também um propósito comunicativo *real* nestas dez histórias, que mereciam muito ser contadas.

O objetivo último de toda a coleção é dotar o aluno de um bom treino de leitura – uma espécie de leitura de «tubo de ensaio» – que lhe vai permitir encarar as obras dos grandes autores da literatura portuguesa com mais confiança e menos esforço.

A seguir a cada conto, vem um conjunto de exercícios, com soluções no final, sobre a leitura de cada uma das histórias. São exercícios que testam a compreensão dos textos e que ajudam a memorizar o vocabulário novo. Há também exercícios de gramática, mas é uma gramática que está sempre relacionada com a compreensão do texto. Por exemplo, exercícios sobre tempos verbais, advérbios, conectores, ordem das palavras na frase, etc.

No final do livro há um índice remissivo para todos os conteúdos gramaticais.

Como se trata de pequenos textos, com princípio, meio e fim, eles podem ser trabalhados em sala de aula, mas o professor pode também indicar ao aluno a leitura deste livro no âmbito da realização de um programa de leitura autónoma.

Ana Sousa Martins

A traição das badaladas

As manas[1] Brioso tinham vindo da aldeia de Carvalhal das Romãs para estudar em Viseu na Escola Comercial, em 1944. Eram três irmãs, separadas em idade por dois anos, quase exatamente: 12, 14 e 16 anos. Quem as visse, não adivinhava o parentesco. A mais velha era grande, gorda e bastante bonita; a do meio era gaga[2] e metia os pés para fora; a mais nova era um pouco enfezada[3], por ter muito mau feitio, diziam.

Coisa herdada da mãe, diziam também. Mulher arguta[4] e desconfiada de todos. Ninguém lhe via os dentes. A severidade com que lidava com as filhas era conhecida. Apanhar pancada de chinelo e cabo de vassoura por causa de um copo que se partiu ou de um chão mal encerado[5] era comum. Os vizinhos chegavam-se à porta a interceder[6] pelas raparigas. O cão raspava-se da soleira da porta a cainhar[7] e só voltava ao outro dia. O pai tinha um carro de praça[8], saía cedo e chegava tarde, e o cansaço não o deixava interrogar-se do porquê do silêncio sepulcral[9] das raparigas em certos serões[10].

[1] **Mano:** irmão.

[2] **Gago:** que fala com pausas e repetições de sílabas.

[3] **Enfezado:** magro e de corpo pouco desenvolvido para a idade.

[4] **Arguto:** muito inteligente, com espírito de observação.

[5] **Encerar (o chão):**

[6] **Interceder (por alguém):** intervir ou pedir alguma coisa em benefício de alguém.

[7] **Cainhar:** ruído que o cão faz quando tem dores.

[8] **Carro de praça:** táxi.

[9] **Sepulcral:** próprio de sepulcro; túmulo.

[10] **Serão:** período da noite antes de ir para a cama.

Elas resistiam àquilo porque armaram[11] uma espécie de conluio[12] contra a mãe. Riam-se dela, espreitando-a pelo buraco da fechadura do quarto a mirar-se ao espelho só de cinta[13] e sutiã[14]:

– Parece um pipo[15]! – chiavam[16] elas de riso.

Quando a mãe ia à rua e elas sabiam de antemão[17] que era coisa de demora, vestiam-lhe a roupa, calçavam-lhe os sapatos e imitavam-lhe os esgares[18] de tirana[19]. Brincadeiras de crianças, que elas sentiam como uma ação de resistência.

Crianças, era o que elas eram. Por exemplo, tinham medo do Latróias, o pobre diabo que, dia sim dia não, passava na rua a recolher o lixo e o ferro-velho. O homem tinha um olhar inofensivo, vazio, de fome, mas o mau cheiro que exalava[20], as luvas imundas[21] sem dedos, os sobretudos vestidos uns por cima dos outros faziam os pesadelos das moças, de mistura com histórias que aqui e ali as pessoas contavam:

Na Serra de São Macário, no caminho «do morto que matou o vivo», os lobos comeram um desgraçado e só lhe deixaram os pés dentro das botas!

[11] **Armar:** Neste contexto: organizar ou preparar.

[12] **Conluio:** esquema ou combinação entre duas ou mais pessoas para prejudicar outra.

[13] **Cinta:**

[14] **Sutiã:**

[15] **Pipo:**

[16] **Chiar:** produzir um som agudo.

[17] **Saber de antemão:** saber antecipadamente, previamente.

[18] **Esgar:** contração do rosto.

[19] **Tirano:** ditador, autoritário.

[20] **Exalar:** lançar, soltar de si.

[21] **Imundo:** muito sujo.

Mas, ao mesmo tempo, já caminhavam para raparigas. Ao domingo à tarde faziam de tudo para poder sair e passear na Praça do Município com as outras raparigas, olhando de soslaio[22] os jovens tropas de riso atrevido. Para obterem autorização da mãe, era um castigo[23]. Sobretudo depois do caso do «Baile da Gravata e Meia».

No ano anterior, a cidade de Viseu tinha sido abalada[24] por um grande escândalo. Ninguém falava abertamente do sucedido, mas parece que num certo salão de jogos de uma certa casa, propriedade de um ilustríssimo habitante da cidade, a Polícia de costumes[25] foi dar com[26] uma animada festa em que os convivas[27] se encontravam muito parcamente[28] vestidos: eles só com gravata e elas só com meias de vidro[29] até à coxa.

Passavam-se semanas sem que as três irmãs pudessem pôr o pé na rua para um passeio. Muito esporadicamente[30], por intervenção do pai, lá calhava de irem – mas só por um par de horas.

Certa vez, aí pelo mês do março, já com os dias maiores, a mãe autorizou uma saída, mas apenas das 15h30 às 17h. Hora e meia não dava para nada!

A irmã do meio, que era a mais espevitada[31], sugeriu então que, antes de saírem, atrasassem o relógio da sala, o único da casa.

E assim foi. À tarde, as moças saíram, passearam-se na praça, deram de comer às pombas do parque, encontraram amigas de escola e, finalmente, por volta das 18h – 17h no relógio da sala – trataram de regressar a casa.

[22] **Olhar de soslaio:** não olhar diretamente; olhar de lado, pelo canto do olho.

[23] **Ser um castigo:** a exclamação «É um castigo!», «Era um castigo!» exprime enfaticamente a grande dificuldade para se chegar a um resultado.

[24] **Abalado:** quem está abalado sofreu um abalo; houve alguma coisa que o fez tremer e ficar perturbado.

[25] **Polícia de costumes:** Polícia destinada a vigiar a sociedade e obrigar os cidadãos a seguir os princípios da «moral e dos bons costumes».

[26] **Ir dar com:** descobrir.

[27] **Conviva:** pessoa que participa numa festa.

[28] **Parcamente:** de modo parco, com pouca coisa.

[29] **Meias de vidro:**

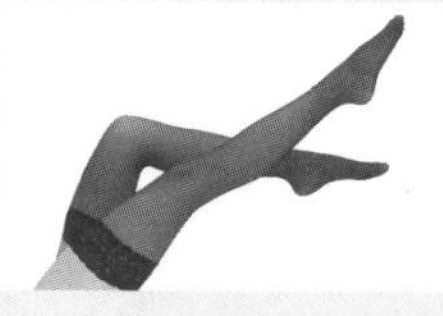

[30] **Esporadicamente:** raramente.

[31] **Espevitado:** esperto e atrevido.

Ainda não tinham acabado de subir as escadas para a cozinha, ouviram a mãe:

– Andai[32] cá!

– Que foi, minha mãe? – perguntou a irmã do meio.

– Qual das três atrasou o relógio?

Nem uma palavra.

Já sabiam o que vinha a seguir. Cabo de vassoura pelas costas abaixo, à vez. A mãe não batia com a mão, porque lhe ficava a doer.

Enquanto apanhavam, as três irmãs interrogavam-se sobre como é que a mãe tinha ficado a saber do atraso do relógio. Elas tinham feito a manobra muito disfarçadamente e a mãe não tinha relógio de pulso... Como foi possível?

Nesse dia, foram para a cama sem jantar. Dormir com a barriga vazia é difícil, além de que as inquietava[33] não perceberem onde é que o plano tinha falhado.

Era já quase meia-noite e elas sem dormirem. Daí a pouco, soaram as 12 badaladas[34], vindas da Sé[35].

– Raios partam! – gritou a mais nova. – Foi o sino da torre!

[32] **Andai:** verbo «andar» na 2.ª pessoa do plural, Imperativo. Esta forma está a cair em desuso, mas ainda se mantém viva no Norte de Portugal.

[33] **Inquietar:** preocupar, afligir.

[34] **Badalada:** pancada do badalo de um sino; som do sino.

[35] **Sé:** igreja, catedral.

Exercícios

Compreensão

1. Escolha a opção correta, de acordo com o sentido do texto.

1. As três irmãs Brioso eram muito diferentes entre si no que toca
   a) à idade.
   b) ao aspeto físico.
   c) ao carácter.
   d) à educação.

2. A severidade da mãe revelava-se no modo como
   a) desconfiava das filhas.
   b) castigava as filhas.
   c) falava com as filhas.
   d) silenciava as filhas.

3. As irmãs conseguiam sobreviver àquele clima de austeridade familiar, porque
   a) faziam queixa aos vizinhos e estes intercediam por elas.
   b) saíam frequentemente com as amigas.
   c) tinham a ajuda do pai.
   d) pactuavam umas com as outras para ridicularizarem a mãe.

4. O medo infantil das irmãs é ilustrado através
   a) da reação perante uma personagem conhecida na cidade.
   b) da maneira como contavam histórias macabras.
   c) do modo como olhavam para os tropas.
   d) do pânico que sentiam quando lhes falavam em lobos.

5. A irmã do meio teve uma ideia que lhes iria permitir
   a) estar mais tempo na rua.
   b) entrar no «Baile da Gravata e Meia».
   c) passar a sair mais vezes.
   d) evitar os castigos da mãe.

6. A mãe descobriu o esquema das filhas porque
   a) acordava sempre à mesma hora e estranhou ser tão cedo.
   b) comparou as horas do relógio da sala com as horas do relógio da Sé.
   c) era muito astuta e desconfiava sempre das filhas.
   d) atrasar o relógio era, aparentemente, um estratagema frequente.

2. **Indique o único monólogo que NÃO TEM informações erradas.**

Monólogo 1 ☐

Irmã mais nova: – A minha irmã tem a mania de que é boa e vai obrigar-nos a entrar no esquema que ela inventou. Com a carga de nervos em que estou, nem vou apreciar o passeio. Mais valia estar em casa. De qualquer maneira ninguém vai reparar em mim, porque são todos uns estúpidos! Se a mãe der conta, não esperem que eu fique calada. E se não der a mãe, dá o pai. Ele sai com o táxi às 9h, quando olhar para o relógio, vê logo que não podem ser 8h!

Monólogo 2 ☐

Irmã do meio: – Se não sou eu a puxar pela cabeça, as tontas das minhas irmãs deixavam-se estar sempre fechadas entre paredes, como as freiras no convento. A mais pequenita é mais medrosa e tem razão para isso. Quando apanha paulada da mãe sofre mais, coitada, por ser tão magrita e pequenita. Mas a minha irmã mais velha... não percebo a hesitação. Ela, que é a mais vistosa, devia ser a primeira a querer sair para ver se arranja namorado.

Monólogo 3 ☐

Irmã mais velha: – Eu já lhes disse que se a mãe ouvir as badaladas do sino da Sé vai perceber logo que atrasámos o relógio da sala e vamos todas três sofrer as consequências. Mas a minha irmã é assim, está sempre a ter ideias atrevidas e, em metendo-se-lhe uma ideia naquela cabeça dura, não há nada a fazer. Além disso, se encontrarmos o Latróias e se ele se puser a correr atrás de nós, quero ver como é. Até já tenho pesadelos com isso.

3. Associe cada palavra a negrito no texto à definição correspondente.

NOTA: As palavras a utilizar estão glosadas no conto.

Era uma vez um rei, **tirano** e muito vaidoso, como é habitual nos tiranos. Fazia questão de, todos os domingos, nos seus trajes faustosos, saudar o seu povo, pobre, faminto e **imundo**.

Por causa dessa vaidade, deixou-se ir na conversa de dois alfaiates, **argutos** intrujões, que queriam ganhar bom dinheiro sem ter de trabalhar. Os dois combinaram uma das mais célebres tramoias da literatura universal. O **conluio** consistia no seguinte: fingiam que estavam a fazer um fato completo para o rei, manobrando, com gestos precisos e **esgares** de especialista, as tesouras, as linhas e as agulhas sobre um pano imaginário. Depois, declararam perante os nobres cortesãos que apenas as pessoas inteligentes conseguiriam ver o fantástico fato. É claro que ninguém quis passar por burro. Todos se olhavam de **soslaio**, mas ninguém dizia uma palavra sobre a invisibilidade da nova vestimenta real.

Chegado o dia do cortejo de celebração de um evento histórico cujo significado já ninguém se lembrava, o rei acenava, à direita e à esquerda, do alto de um trono ambulante puxado por dois pares de cavalos, vestido (ou despido) no seu fantástico fato.

A princípio, o povo, vendo aquilo, fez um silêncio **sepulcral**. Mas depois um garoto, que tinha tanto de **enfezado** como de **espevitado**, exclamou:

– O rei vai nu! O rei vai nu!

E toda a gente desatou à gargalhada.

a) trabalho feito secretamente para fazer alguma coisa desonesta: _______

b) expressão facial estranha, torcendo a cara: _______

c) aquele que governa um país de uma maneira cruel e injusta: _______

d) muito magro: _______

e) atrevido, esperto, vivo: _______

f) total, próprio de um túmulo: _______

g) que é feito não de frente, mas de lado: _______

h) muito sujo: _______

i) capaz de avaliar as situações muito bem e tomar boas decisões: _______

Gramática

4. Reescreva as frases utilizando as palavras dadas.

a) Eram três irmãs, separadas em idade por dois anos.

diferença

b) O cansaço constante do pai não o deixava interrogar-se sobre o silêncio sepulcral das raparigas.

porque

c) As três irmãs riam-se da mãe e essa era uma maneira de suportar os castigos sofridos.

conseguiam

d) O Latróias era um homem inofensivo, mas o mau cheiro que exalava e a sua roupa imunda metiam muito medo às raparigas.

apesar **por causa**

e) Era muito difícil obter autorização da mãe para saírem, sobretudo depois do escândalo do «Baile da Gravata e Meia».

dificultou

f) As três irmãs só podiam andar fora de casa duas horas, caso contrário eram castigadas.

se

____

____

g) As três manas não responderam à pergunta da mãe sobre quem tinha atrasado o relógio.

quando **nada**

____

____

h) A mãe só descobriu que as filhas tinham atrasado o relógio da sala por causa do sino do relógio da Sé.

se

____

____

5. Complete o texto com as preposições adequadas.

NOTA: Há casos em que tem de escrever a contração da preposição com o artigo.

Esta história passa-se (1) __________ tempo da Guerra, mas não tem nada (2) __________ ver com guerra. E daí talvez até tenha...
Tal como todas as outras raparigas novas, estas também gostavam (3) __________ sair (4) __________ casa, passear e conviver. Mas sabiam que tinham (5) __________ se portar bem. As ordens da mãe eram (6) __________ ser seguidas (7) __________ letra.
De modo (8) __________ poderem andar na rua mais (9) __________ que as duas horas permitidas, as raparigas pregaram uma partida (10) __________ mãe, mas o plano correu-lhes mal.

Ressentimento

[1] **Vésperas:** dias antes.

[2] **Revolução:** Neste contexto: Revolução do 25 de Abril.

[3] **Conformado:** aquele que aceita que alguma coisa desagradável tem de acontecer e que não pode ser mudada.

[4] **Amealhar:** guardar num mealheiro; poupar dinheiro.
Mealheiro:

[5] **Refrear:** conter, moderar, reprimir, pôr um travão.

[6] **Gabarito:** classe, nível, fama.

[7] **Biscate:** pequeno trabalho, em geral, temporário.

José Morgado, em 1973, trabalhava na tipografia Malaquias & Irmãos, na rua do Norte, em Lisboa. A vida de José até às vésperas[1] da Revolução[2] tinha sido como a de toda a gente: a contar os tostões para chegar ao fim do mês e pagar a renda da casa, um rés do chão de um prédio antigo de três andares, com um pequeno quintal atrás e arrumos ao fundo. Isto além do comer e do vestir para os três filhos, mulher e sogra. A mulher fazia algumas tarefas de costura para fora, mas nem sempre havia encomendas. José sabia que havia gente com bastante mais dificuldade do que ele, que tinha um salário e, apesar de baixo, vinha certinho e sem atrasos. Fazia um esforço para se sentir conformado[3]. Mas José queria um pouco mais.

Uns anos antes tinha amealhado[4] para a compra de uma televisão *Grundig*. Ao jantar, o aparelho era dono e senhor da pequena sala de jantar. Com a televisão, vieram os anúncios publicitários a cantarem-lhe aos ouvidos e o consequente impulso, ainda que refreado[5], para comprar uma máquina de lavar roupa, uma máquina de costura nova, um automóvel em segunda mão... Porque não? Não era ele gente como a outra gente?

Havia, porém, que reforçar o ordenado. Foi então que José se lembrou de perguntar a um primo seu, que trabalhava como *barman* num hotel de algum gabarito[6], se não lhe arranjaria um biscate[7] por lá, nem que fosse a carregar malas. Passou então a fazer umas horas no hotel, depois de despegar[8] da tipografia e, ao fim de semana, a fazer todo o serviço que lhe aparecia. Um faz-tudo.

Passado algum tempo, o primo, que tinha olho para o negócio[9], ao fim de um dia de trabalho, ao balcão do café da esquina oposta à do hotel, diz-lhe, a meia-voz, depois de umas brejeiradas[10] sobre aventuras amorosas e vinho tinto:

– Ó Zé, tenho um negócio para ti. É pegar ou largar.

Saíram do café e foram caminhando pela rua.

– O fornecedor dos bebes[11] lá do hotel é rapaz para[12] nos dispensar, de tempos a tempos, já se vê, umas garrafinhas de *whisky* daquele que é mesmo de categoria. O problema está que eu não tenho onde as guardar. Não tenho espaço nenhum onde as meter. Em casa, nem pensar, que a minha patroa[13] se dá conta da manigância[14] arma um banzé[15] que é para lá o fim do mundo. Mas tu, que tens um lugar de arrumos, podias pôr lá num cantinho umas caixinhas.

– Eh pá, não sei... como é que carrego as caixas para a arrecadação sem dar nas vistas?

– Tu não vais levar caixas, rapaz! Não ouves o que eu te digo? Vais levar uma garrafinha de vez em quando, disfarçada num capote[16] que leves dobrado no braço ou coisa assim. Bem vês, dinheirinho a cair com a revenda, por um bom preço, a amigos, conhecidos e conhecidos de conhecidos. Hã? Que me dizes?

José Morgado deixou-se convencer. Passados uns meses, sair do hotel com o «brinde»[17] debaixo do braço depois do trabalho passou a ser tão fácil como respirar. A arrecadação ia-se enchendo, paulatinamente[18], sem sobressaltos.

[8] **Despegar:** sair do trabalho ao fim do dia.

[9] **Ter olho para o negócio:** conseguir prever com sucesso que uma determinada opção é boa para se conseguir fazer dinheiro.

[10] **Brejeirada:** palavra ou expressão com sentido malicioso.

[11] **(Os) bebes:** as bebidas.

[12] **É rapaz/rapariga para:** expressão coloquial que refere a capacidade ou vontade de certa pessoa para fazer algo.

[13] **Patroa (popular):** esposa.

[14] **Manigância:** ação feita às escondidas para enganar alguém.

[15] **Banzé:** confusão, gritaria.

[16] **Capote:** casaco grande e grosso.

[17] **Brinde:** presente.

[18] **Paulatinamente:** aos poucos; lentamente.

O sobressalto veio de onde ele não esperava. Da tipografia. Numa certa manhã de inverno chuvoso, a DGS[19] irrompe pela sala da maquinaria adentro[20] e prende um trabalhador, de alcunha «o Pencas», por ter um grande nariz, acusado de ali imprimir panfletos revolucionários. José Morgado ficou atordoado com aquilo. As ações de resistência antifascista tinham-lhe passado completamente ao lado – até àquele dia. Todo o pessoal da gráfica foi interrogado, inclusivamente ele. Até o patrão Malaquias sofreu sezões[21]. No fim, apenas o Pencas foi para Peniche[22]. No entanto, o infortúnio deixou semente viva na consciência política de José.

[19] **DGS:** Direção-Geral de Segurança: Polícia política portuguesa responsável pela repressão de todas as formas de oposição ao regime político em vigor.

[20] **Irromper por um local adentro:** entrar de repente nesse local.

[21] **Sofrer sezões (popular):** ver-se numa situação difícil.
Sezão: febre alta.

[22] **Peniche:** Neste contexto: Fortaleza de Peniche, prisão política durante o Estado Novo (1930-1974).

[23] **Resvalar:** descair, escorregar.

[24] **Estancar:** impedir um líquido de correr; parar uma ação.

[25] **Rosnar:** voz do cão que, sem ladrar, ameaça e mostra os dentes (Neste contexto: dizer algo em voz baixa).

[26] **Costumeiro:** do costume; habitual.

[27] **Pacatez:** que é pacato, simples e pacífico.

[28] **Amordaçar:** silenciar com mordaça.
Mordaça: pano ou objeto com que se tapa a boca a alguém para que não fale.

Na tipografia, ninguém mais falou no caso e qualquer tópico que pudesse resvalar[23] para a mais leve sombra de crítica ao Regime era logo estancada[24] por um «Chiu, bico calado, pá». Mas no café do bairro onde morava, José esticava o ouvido a comentários rosnados[25] entre dentes cerrados, ao fim da noite, quando já só ficavam dois ou três clientes costumeiros[26]: «Estes cães amassam as suas fortunas na exploração da classe operária!», «Parasitas a chupar o sangue do trabalhador!» – e outras metáforas semelhantes, típicas do verdadeiro espírito revolucionário.

Em pouco tempo, a imagem da realidade adquiriu para José Morgado profundidade e perspetiva. A simplicidade e pacatez[27] da vida da gente comum, entre idas à missa e ao futebol, passou a desenhar-se contra um pano de fundo de um país amordaçado[28], esmagado pela opressão de meia dúzia de senhores que se julgavam donos de tudo – bens e pessoas. A mudança tinha de acontecer e ele, José Morgado, ia participar nesta mudança!

Passou então a manter contactos discretos com elementos da Resistência antifascista. Em pouco tempo estava a desenvolver pequenas ações de luta, que, em geral, passavam por servir de sentinela a encontros clandestinos. Uma vez, porém, chegou mesmo a dar dormida a um grande combatente na clandestinidade. Esse era um episódio que orgulhava sobejamente José Morgado.

Veio finalmente o 25 de Abril e a Liberdade. A euforia e a fraternidade andavam à solta. Veio depois a onda dos Governos Provisórios e a desordem nas ruas, a nacionalização de várias empresas, o desmantelamento[29] de outras. O patrão Malaquias desapareceu e a tipografia foi tomada pelos trabalhadores.

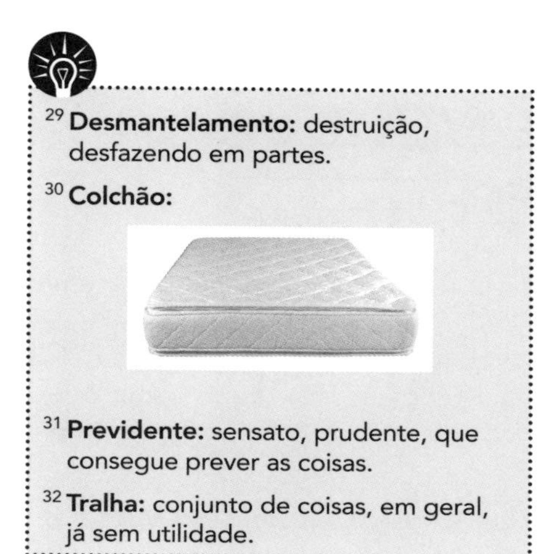

[29] **Desmantelamento:** destruição, desfazendo em partes.

[30] **Colchão:**

[31] **Previdente:** sensato, prudente, que consegue prever as coisas.

[32] **Tralha:** conjunto de coisas, em geral, já sem utilidade.

Logo a seguir, no verão quente de 75, veio também a ocupação das casas. Passava-se na rua e os apartamentos que tivessem na varanda a bandeira da LUAR (Liga de Unidade e Ação Revolucionária) davam a garantia de que a casa já não voltava para o proprietário. Não eram só as casas, mas também armazéns e garagens. Praticamente tudo o que estivesse livre.

José Morgado andava excitado, nervoso, fervente. E aflito. A tipografia deixou de produzir, as máquinas precisavam de algumas reparações. De qualquer maneira, também não havia encomendas. Mas havia muita esperança! A democracia estava em curso, a luta pela igualdade ia dar frutos!

Os estômagos do pessoal lá de casa é que não se enchiam só de esperança e o dinheiro guardado debaixo do colchão[30] estava-se a acabar. Ainda por cima, tinham-lhe chegado da aldeia dois cunhados seus, irmãos mais velhos da mulher, que vinham para Lisboa à procura de uma vida melhor. Não havia camas para os pôr a dormir. Tinham de dormir no chão da sala. Por sorte, José, previdente[31], tinha guardado um colchão velho de cama de solteiro na arrecadação.

Foi buscá-lo. Levou a chave, mas não precisou dela. A porta estava arrombada, toda a tralha[32] estava espalhada pelo chão. José olhou imediatamente para o canto onde tinha guardado as caixas de *whisky*. Tinham-se ido. Na parede em frente à porta estava escrito, com pincel grosso, molhado em tinta vermelha:

«O *whisky* é do povo!»

Exercícios

Compreensão

1. O texto que vai ler a seguir tem cinco informações erradas. Detete-as.

José Morgado era um modesto trabalhador assalariado, que, apesar de não ganhar muito, conseguia pagar todas as contas ao fim do mês. Este facto, no entanto, não o satisfazia plenamente e, por esse motivo, sugeriu à mulher que fizesse alguns trabalhos de costura para fora.

Entretanto, José Morgado associa-se a um primo, que era *barman* num hotel, para os dois venderem *whisky* a título privado (e clandestino), mas o primo traiu-o e, como sabia onde estavam as caixas das garrafas, disse aos seus amigos para as irem roubar, sob o pretexto da ideologia.

José Morgado ressentiu-se deste episódio, pois acreditava piamente nos ideais da Revolução. Não foi sempre assim, no entanto. Na verdade, foi a visita da DGS à tipografia que determinou uma mudança no comportamento de José Morgado. O facto de ninguém ter sido preso nessa altura não garantia que mais dia menos dia uma coisa dessas viesse a acontecer. Foi por isso que José Morgado facilmente se deixou convencer pelos convivas do café do seu bairro para se juntar ao movimento de Resistência antifascista. A sua contribuição para a causa da Liberdade era pequena, mas não deixava de ser importante. José Morgado orgulhava-se muito dessa sua ação. Tal, porém, não lhe trazia muito sossego de espírito, porque as necessidades materiais do dia a dia eram as mesmas. O aspeto positivo foi que o país, logo após o 25 de Abril, conseguiu rapidamente atenuar as tensões sociais e económicas. Isto fez com que as pessoas abandonassem os campos e viessem trabalhar para as cidades.

Vocabulário

2. Complete as frases com uma das palavras abaixo.

NOTA: Há três palavras a mais. Não vai precisar delas.

manigância	resvalar	poupado	refrear	amordaçado
dispensar	alojar	tralha	gabarito	despegar
penca	biscate	previdência	ordenado	

a) Se recebes um salário, quer dizer que tens um __________ ao fim do mês.

b) Se fazes umas horas num determinado serviço, quer dizer que tens um __________.

c) Se tens um nariz grande, quer dizer que tens uma __________.

d) Se fizeste uma coisa com um elevado nível de qualidade, quer dizer que produziste uma obra de grande __________.

e) Se gostas de amealhar, quer dizer que és um indivíduo __________.

f) Se queres dizer uma coisa, mas evitas fazê-lo, quer dizer que procuras __________ o desejo de exprimir essa coisa.

g) Se tens em casa muitos objetos que não te são úteis, quer dizer que tens a casa cheia de __________.

h) Se gostas de dar dormida aos teus amigos, quer dizer que gostas de os __________ em tua casa.

i) Se entras num esquema para tirares injustamente proveito de uma situação, quer dizer que participaste numa __________.

j) Se sais normalmente do trabalho às 19h, quer dizer que costumas __________ quase sempre a essa hora.

k) Se podes fornecer alguma coisa a alguém, de entre um conjunto de coisas que possuis, quer dizer que lhe podes __________ essa coisa.

Gramática

3. Substitua as palavras destacadas a negrito pelos pronomes correspondentes.

NOTA: Em alguns casos, é necessário fazer alterações na forma do verbo ou do pronome.

a) José Morgado reconhecia que não tinha muitas dificuldades económicas. As pessoas que ele conhecia sentiam **as dificuldades económicas** de uma forma muito mais intensa do que ele. __________

b) À noite, a televisão dominava a sala de jantar. Mal chegavam da escola, a primeira coisa que os filhos de José Morgado faziam era ligar **a televisão**. __________

c) As encomendas de costura eram poucas e quando havia **encomendas**, as clientes não pagavam logo, por não terem dinheiro ao fim do mês.

____

d) Ó Zé, eu não tenho onde guardar as garrafas, mas tu tens uma arrecadação, podias pôr **as garrafas** lá. __________

e) Tu não vais levar as garrafas de uma só vez, vais levar **as garrafas** uma a uma, ao longo de vários meses. __________

f) Pelos vistos, o Pencas imprimia clandestinamente panfletos revolucionários. Onde guardava **os panfletos** é que ninguém sabia. __________

g) A tipografia passou para as mãos dos trabalhadores, mas estes não geriam **a tipografia** eficazmente. __________

h) Naquela altura, os trabalhadores que vissem casas desocupadas, tomavam **as casas** como suas. __________

i) José Morgado recebeu em sua casa dois cunhados seus vindos da aldeia. Ia pôr **os cunhados** a dormir na sala. __________

j) José Morgado lembrou-se de um colchão que tinha na arrecadação e quando foi buscar **o colchão** é que deu conta de que tinha sido assaltado. __________

4. Complete as frases abaixo com as formas verbais adequadas.

NOTA: Em alguns casos, a frase está na voz passiva.

a) A mulher de José Morgado há muito tempo que __________ (desejar) ter uma máquina de costura *Oliva*.

b) Antes da visita da DGS à tipografia, José Morgado nunca __________ (estar) envolvido em atividades clandestinas.

c) José Morgado tinha esperança de que com um segundo emprego __________ (conseguir) elevar o seu nível de vida.

d) Ó Zé, se tu quisesses alinhar no esquema da revenda do *whisky*, __________ (ser) bom para ti, e para mim também.

e) Na primeira vez que José Morgado __________ (trazer) uma garrafa de *whisky* para casa, pôs-se todo muito nervoso, mas depois passou a ser fácil e ele já ______ (fazer) aquilo com a maior das naturalidades.

f) Naquela tarde, um a um, todos os trabalhadores da gráfica __________ (interrogar).

g) Dar dormida a um grande combatente na clandestinidade foi uma das ações de que José Morgado mais se __________ (orgulhar).

h) Como a sua principal função era servir de porteiro-vigilante, José Morgado perdia as discussões políticas que se passavam entre portas e, por consequência, __________ (manter) uma visão idealista e ingénua da Revolução.

i) Há um provérbio português que diz: «Ladrão que __________ (roubar) ladrão tem cem anos de perdão».

j) A ânsia de ganhar mais __________ (estimular) pelos anúncios publicitários que passavam na televisão.

k) Se José Morgado tivesse mais espaço nos arrumos, mais garrafas __________ (angariar).

l) Há a ideia subliminar, vigente em certas comunidades, de que se __________ (ser) demasiado honestos, mais tarde ou mais cedo, seremos prejudicados por alguém.

m) O que agravou a situação familiar de José Morgado foi __________-lhe (ter) chegado da aldeia dois cunhados.

n) Se José Morgado não __________ (guardar) um colchão velho na arrecadação, os cunhados tinham de dormir no chão.

o) Que se __________ (saber), nenhum outro elemento da família de José Morgado desenvolvia ações políticas.

p) O desaparecimento do patrão Malaquias __________-se (dever) também a alguma cobardia.

q) É comum as pessoas pobres não se __________ (livrar) da tralha que têm em casa, porque pensam que, de um momento para o outro, podem precisar disto ou daquilo.

r) Só quando José Morgado foi buscar o colchão velho à arrecadação é que percebeu que as garrafas de *whisky* __________ (desaparecer).

s) Antigamente, o dinheiro __________ (guardar) debaixo do colchão para ficar escondido dos ladrões.

Com o rei na barriga[1]

Esta história não é baseada em factos reais.

O Tinoco da Ruça, assim chamado por ter casado com uma mulher loira, tinha um café-restaurante à saída de Ponte de Lima.

Estava-se a caminho do mês de outubro, já tinham passado as Feiras Novas, quando entra no café nada mais nada menos do que o rei, o Senhor Dom Duarte Pio, e três outros cavalheiros muito bem-postos[2]. A Ruça, de olho aquilino[3] através da cortina antimoscas, deu o primeiro sinal:

– Ó Tiiino! Vêm aí uns senhores…

O Tinoco estremeceu. Demorou pouco tempo a reconhecer o rei. Conhecia-o da televisão e das revistas cor de rosa do consultório do dentista. Teve apenas tempo de meter a camisa dentro das calças, mandar calar dois trolhas[4] sentados ao balcão e dirigir-se então, com deferência[5], à mesa dos ilustres. Queriam provar umas papas de sarrabulho[6] à moda de Ponte de Lima com o vinho verde da casa[7].

Um pedido simples e frequente, mas que, de repente, assumiu no espírito de Tinoco uma complexidade desmesurada[8]. Vinho da casa? Não podia! Era um carrascão[9] que dava aos bêbedos da terra. Não teve mais nada[10]: despejou

[1] **Com o rei na barriga:** expressão que significa que alguém se acha muito importante.

[2] **Bem-posto:** bem vestido e com boa aparência.

[3] **Aquilino:** próprio de águia; perspicaz.

[4] **Trolha:** operário da construção civil.

[5] **Deferência:** atenção respeitosa.

[6] **Papas de sarrabulho:** prato típico do Norte de Portugal. É um prato feito com sangue de porco, carne de galinha, carne de porco, salpicão, presunto, chouriço, cominhos, limão e pão ou farinha de milho, entre outros ingredientes.

[7] **Vinho verde:** vinho da zona entre o Douro e o Minho. «Verde» não se refere à cor, mas ao facto de o vinho ser novo (está pronto a beber 3 a 6 meses depois da vindima).
Vinho da casa: vinho barato sem marca, vendido em restaurantes servido em copo ou em jarro.

[8] **Desmesurado:** enorme.

[9] **Carrascão:** vinho de baixa qualidade.

[10] **Não teve mais nada:** expressão familiar que serve para anunciar uma decisão repentina.

uma garrafa de Aveleda para dentro de um jarro tosco. Tinha prejuízo, mas deixá-lo[11]! E o pão – que pão ia pôr na mesa? De centeio? De mistura[12]? Punha azeitonas ou isso era coisa de plebeus[13]? Verdes ou pretas?

Enquanto servia os senhores, Tinoco desfazia-se em desvelos[14] e não parava de rondar a mesa como uma varejeira[15]. Até que ousou falar:

– Com a permissão de Vossas Senhorias, sou a sugerir a degustação[16] de umas belouras[17] confecionadas pela D. Maria da Graça, aqui presente.

A Ruça acenou com a cabeça.

Os trolhas pasmavam. Os assessores de Dom Duarte faziam trejeitos[18], a sufocar[19] o riso. Tinoco não dava fé[20]. Considerava-se um homem com alguma cultura. Ao contrário de muitos, tinha acabado o liceu e era espectador assíduo do *A Alma e a Gente*[21]. Não era como os outros brutos da terra, que não sabiam o significado do 5 de Outubro[22] nem do 1 de Dezembro[23]. Tinoco, quando queria, sabia falar como deve ser. Tinha era poucas oportunidades de dar uso à eloquência e então fazia-se de burro, como os outros. Mas não era por acaso que quase sempre o chamavam para fazer o discurso de abertura do leilão na festa da Senhora das Neves.

[11] **Deixá-lo!:** expressão familiar que significa "Não importa!".

[12] **(Pão de) mistura:** pão que contém vários cereais.

[13] **Plebeu:** que não é nobre.

[14] **Desvelo:** cuidado carinhoso.

[15] **Varejeira:**

[16] **Degustação:** ação de saborear um alimento.

[17] **Beloura:** comida típica do Norte de Portugal: pão de forma cilíndrica feito com uma mistura de farinhas amassadas com sangue de porco, caldo de carne e temperado com pimenta e cominhos.

[18] **Trejeito:** esgar.

[19] **Sufocar:** impedir a respiração (Neste contexto: evitar rir).

[20] **Dar fé:** dar conta; aperceber-se.

[21] ***A Alma e a Gente*:** programa televisivo sobre a História de Portugal.

[22] **5 de Outubro de 1910:** dia em que se deu a implantação da República. Nesta data, Portugal deixou de ser uma monarquia.

[23] **1 de Dezembro de 1640:** dia em que se restaurou a independência de Portugal. Neste dia, chegaram ao fim 60 anos de domínio espanhol sobre Portugal.

Vieram as belouras e, no fim, um caldo-verde[24]. Dava gosto ver comer assim. Com mesura[25], elegância e vagar. O recato[26] da conversa, agravado pela pronúncia fechada de Lisboa, tornava-a imperscrutável[27] aos ouvidos de Tinoco, para seu pesar[28].

No fim, entre muitos sorrisos e vénias[29], os quatro ilustres despediram-se e foram-se. Assim mesmo. Foram-se embora sem pagar. Tinoco não teve coragem de os deter[30]. Viu-os sair, entrar no carro, arrancar. Ficou imobilizado detrás do balcão uns cinco minutos. Até ouvir a mulher, num suspiro arreliado[31]:

– Afinal, são todos iguais!

Os trolhas riam alarvemente[32].

Tinoco ficou magoado, primeiro, indignado, depois. O rei tinha abalado[33] sem pagar a conta... Parecia impossível!

[24] **Caldo-verde:** sopa com puré de batata e couve-galega partida em tiras fininhas.

[25] **Mesura:** cortesia.

[26] **Recato:** segredo, resguardo.

[27] **Imperscrutável:** que não se pode perceber.

[28] **Para seu pesar:** para sua infelicidade.

[29] **Vénia:** inclinação da cabeça para cumprimentar alguém, mostrando reverência.

[30] **Deter:** fazer parar.

[31] **Arreliado:** irritado.

[32] **Alarvemente:** com modos grosseiros ou rudes.

[33] **Abalar (popular):** ir-se embora.

[34] **Timbrado:** marcado com timbre. **Timbre:** sinal, marca, selo.

[35] **Brasão:** símbolo de uma família nobre.

[36] **Vale do correio:** documento emitido pelos CTT – Correios e Telecomunicações de Portugal – que vale uma dada quantia de dinheiro.

Cinco dias após a visita, Tinoco recebe uma carta timbrada[34] com o brasão[35] da Casa Real Portuguesa. Dizia assim:

Meu caro senhor Tinoco de Bastos Correia Salvado Matos,

No passado dia 29 de setembro, tive o prazer de ser muito bem servido no seu estabelecimento. Inadvertidamente, porém, retirei-me sem proceder ao devido pagamento, facto que muito lamento e pelo qual lhe peço as minhas sinceras desculpas, rogando-lhe que aceite o montante que lhe envio em anexo.

Despeço-me com votos do mais merecido sucesso na divulgação da rica gastronomia minhota.

Dom Duarte de Bragança

No envelope vinha um vale do correio[36] no valor de 250 euros.

A felicidade de Tinoco naquela hora não se exprime em palavras. Sua Alteza Real a escrever a um homem do povo, a dirigir-se-lhe através do seu nome completo, a pedir-lhe que o desculpasse e a enviar-lhe dinheiro – muito acima do que realmente tinham sido os gastos daquele glorioso dia!

No café, durante semanas, não se falava noutra coisa. Muitos nem acreditavam. Tinoco via-se então obrigado a ir buscar a carta e pô-la nas mãos dos incrédulos[37]. Depois de duas ou três nódoas de gordura, Tinoco decidiu emoldurá-la. Retirou da parede oposta ao balcão uns quantos calendários de gosto duvidoso e colocou-a lá. Não tardou a fazer-lhe companhia a própria fotografia de Dom Duarte em pessoa. A Ruça, com olho para o negócio, sugeriu mudarem o nome do estabelecimento para «Café Real» – ideia que Tinoco pôs de imediato e solenemente[38] em prática.

[37] **Incrédulo:** que não acredita, que duvida.

[38] **Solenemente:** com solenidade, com cerimónia, pomposamente.

[39] **Batalha de São Mamede:** batalha travada a 24 de junho de 1128, entre D. Afonso Henriques e as tropas do conde galego Fernão Peres de Trava, que se tentava apoderar do governo do Condado Portucalense. O Condado Portucalense existiu entre 868 e 1139 e ficava entre o Douro e o Minho.

[40] **Batalha de Chaves:** batalha ocorrida em 1912 na cidade de Chaves, que assinala a queda definitiva da monarquia.

[41] **Fardo:** peso, carga, responsabilidade.

[42] **Assassinato do rei D. Carlos e de seu filho, príncipe herdeiro, D. Luís:** atentado ocorrido a 1 de fevereiro de 1908.

[43] **Corista:** mulher que canta ou dança em espetáculos de variedades.

[44] **Na flor da idade:** quando se é novo.

Com o tempo, Tinoco passou a interessar-se cada vez mais pelo estudo da História de Portugal. Empolgavam-no os seus momentos gloriosos, desde a Batalha de São Mamede[39] à Batalha de Chaves[40]. A cronologia dos reinados, sabia-a de trás para a frente e da frente para trás.

Emocionava-se particularmente com a biografia de D. Manuel II, a sua personalidade sensível, o fardo[41] de ter de assumir os comandos do reino com apenas 18 anos, após o assassinato de seu pai e irmão[42], o exílio forçado em Inglaterra, as saudades de Portugal, o seu humanismo durante a Primeira Guerra Mundial, a paixão por uma corista[43] francesa, a morte na flor da idade[44], sem descendência.

Aos poucos, a figura do monarca injustiçado foi sendo transferida, na mente de Tinoco, para a própria pessoa de Dom Duarte Pio. Eram ambos reis sem trono e conhecedores das agruras[45] do exílio. Dom Duarte, um homem íntegro[46], culto, sensato, era afinal o símbolo vivo da verdadeira identidade nacional, no qual cada português da atualidade, pobre ou rico, se podia rever como descendente dos vitoriosos em batalhas e epopeias! Vê-lo tratado na comunicação social como um usurpador[47] e trapaceiro[48] revoltava-o!

Foi então que teve a ideia de passar a escrever para o jornal da terra. Deram-lhe aí um espaço dedicado a reflexões políticas da sua lavra[49]. Chamava-se «A República das Bananas». Umas crónicas eram mais insossas[50], de divulgação da História de Portugal, outras mais provocadoras e de retórica retorcida[51]. Em todas elas, porém, estava subjacente a defesa ou o enaltecimento de Dom Duarte. Eis alguns excertos:

Andam para aí certos marialvas[52] a cuspinhar[53] acusações biliosas[54] para os canais de televisão, na tentativa vã[55] de denegrir[56] a nobre figura do Senhor Dom Duarte, acusando-o de usurpador do trono de Portugal. Acham estas cabeças de atum que serviria melhor a nação um certo palhaço saído há pouco tempo da cadeia, onde esteve seis meses por falsificação de documentos, durante os quais, por ocasião de uma febre de parasitas intestinais, sonhou ser o ilustre descendente de uma criatura que diz que é filha ilegítima de D. Carlos, mas a quem o tribunal nem o título de bastarda pôde reconhecer, por muito que se esforçasse. O chiqueiro[57] moral onde esta gente fossa[58]

[45] **Agrura:** aflição; dificuldade.
[46] **Íntegro:** com um comportamento exemplar.
[47] **Usurpador:** que tirou alguma coisa a alguém de modo fraudulento ou violento.
[48] **Trapaceiro:** que engana os outros.
[49] **Da minha/sua lavra:** da sua própria produção ou invenção.
[50] **Insosso:** que não tem sal; que não tem sabor (Neste contexto: pouco impressionante).
[51] **Retorcido:** torto (Neste contexto: complicado; complexo).
[52] **Marialva:** sedutor, mulherengo e que se relaciona com pessoas desprezíveis.
[53] **Cuspinhar:** cuspir muitas vezes pequenas porções de saliva (Neste contexto: falar).
[54] **Bilioso:** que tem bílis; de mau génio.
[55] **Vão (masculino)/Vã (feminino):** inútil.
[56] **Denegrir:** prejudicar a imagem.
[57] **Chiqueiro:** espaço onde se criam porcos; lugar muito sujo.
[58] **Fossar:** abrir fossa (canal na terra) como o porco faz com o focinho.

não respingará[59] sequer para o chão calcado[60] pelo Senhor Dom Duarte, reconhecido como rei até pela República!

(Tinoco, além dos livros de História, andava também a ler Camilo Castelo Branco[61].)

Para quem não sabe, Dom Duarte é filho de mãe brasileira, tem nacionalidade timorense e em tempos de juventude, em Angola, tentou formar um partido multirracial para a Assembleia Nacional[62]. Chamá-lo «verbo de encher[63]» no que toca à difusão da lusofonia aquando das suas visitas em representação da Casa Real, como fez um certo deputado – ele que, justamente, passa a vida a encher a boca com pérolas linguísticas como «póssamos[64]», «interviram[65]» e «tenhemos[66]» – seria cómico se não fosse ultrajante[67].

(Com as suas vastas leituras, Tinoco tinha apurado o gosto pela gramática.)

Outro excerto ilustrativo:

Há quem veja a monarquia como uma fantochada[68] de bonecos bem vestidos. Outros acham que a monarquia é um luxo para países ricos do Norte da Europa. Afligem-se com os gastos que a monarquia pode trazer, mas comem[69], com a maior naturalidade, as desculpas esfarrapadas[70] do Governo sobre o descontrolo das contas públicas, no telejornal da noite, ao jantar, entre duas garfadas de rojões[71] com batatas.

De uma maneira geral, era este o tom dos seus artigos. À medida que o tempo passava, os textos eram cada vez mais longos, mais complexos, com

[59] **Respingar:** fazer saltar pequenas pingas de líquido.

[60] **Calcar:** pisar.

[61] **Camilo Castelo Branco:** escritor português do século XIX, conhecido pelo seu estilo sarcástico e complexo.

[62] **Assembleia Nacional:** Câmara de deputados do Estado Novo (1933–1974).

[63] **Verbo de encher (expressão idiomática):** coisa ou pessoa desnecessária ou inútil.

[64] **Possamos:** é a forma correta da 2.ª pessoa do plural do Presente do Conjuntivo do verbo «poder».

[65] **Intervieram:** é a forma correta da 3.ª pessoa do plural do Pretérito Perfeito do Indicativo do verbo «intervir».

[66] **Tenhamos:** é a forma correta da 2.ª pessoa do plural do Presente do Conjuntivo do verbo «ter».

[67] **Ultrajante:** insultuoso; que ofende gravemente.

[68] **Fantochada (pejorativo):** palhaçada; comportamento artificial com o propósito de impressionar alguém.

[69] **Comer:** Neste contexto: aceitar; acreditar.

[70] **Desculpas esfarrapadas:** explicação pouco convincente para uma falta ou erro.

[71] **Rojão:** carne de porco frita.

mais informação de pormenor, exigindo cada vez mais um trabalho aturado[72] de investigação. Tinoco documentava-se com pesquisas constantes na Internet, com consultas de livros na biblioteca municipal e, por último, com a compra de livros *online* – o máximo da sofisticação[73]. Tinoco experimentava pela primeira vez na sua vida, aos 40 anos, o prazer de saber!

Mas não há bela sem senão[74]. Tinoco andava a descurar[75] o negócio do café. Deixava acabar os *stocks*, esquecia-se de passar faturas… A Ruça praguejava[76] a toda a hora com o excesso de trabalho e os protestos dos fregueses. Estes, por sua vez, entretinham-se[77] a gozar com[78] Tinoco:

– Então, Doutor Tinoco, já devoraste[79] os livros todos da biblioteca? Cuidado com a prisão de ventre[80]!

No dia 6 de janeiro, a piada era sempre a mesma:

– Ó Tinoco, hoje as bebidas são à borla. É Dia de Reis!

Eram raros os fregueses que tentavam prolongar a discussão iniciada nas crónicas. Os que o faziam questionavam-no muitas vezes sobre que sentido fazia ter um representante de Estado que não era eleito pelo povo, ao que Tinoco respondia:

– Pois é precisamente por não ser eleito que não está dependente de nenhum partido político. Um rei está acima dos partidos. Não joga os jogos pulhas[81] dos políticos para poderem ganhar eleições!

Mas o que a clientela[82] não lhe perdoava não era a militância[83] monárquica. O que os incomodava era o afinco[84] de Tinoco em tornar-se um homem culto e sabedor, não apenas em História, mas também em Literatura, Ciência Política, Direito Internacional, Filosofia. Tinoco, um homem do povo, queria ser

[72] **Aturado:** que é feito de forma persistente.

[73] **Sofisticação:** luxo, requinte.

[74] **Não há bela sem senão (expressão idiomática):** não há situação nenhuma que não tenha um aspeto negativo.

[75] **Descurar:** descuidar, negligenciar.

[76] **Praguejar:** rogar pragas, amaldiçoar em voz alta.

[77] **Entreter-se:** passar o tempo agradavelmente, fazendo uma coisa de que se gosta.

[78] **Gozar com alguém:** rir-se de alguém.

[79] **Devorar:** comer depressa e com muita vontade (Neste contexto: ler muito).

[80] **Prisão de ventre:** dificuldade em obrar (expelir fezes).

[81] **Pulha:** desonesto, patife.

[82] **Clientela:** grupo de clientes.

[83] **Militância:** ações em favor de uma causa ou partido político.

[84] **Afinco:** perseverança, firmeza.

mais do que os outros! Isso é que não podia ser.

Até que decidiram pregar-lhe uma partida. Queriam rir. Queriam humilhar.

O Albino, um comerciante de vacas da Gemieira, pediu a um primo afastado, que tinha estado emigrado na Suíça e que agora morava em Braga, não sendo por isso muito conhecido naquelas bandas[85], que executasse a tramoia[86]. Havia de entrar pelo Café Real adentro, apresentar-se como mandatário[87] da Casa Real de Bragança e entregar a Tinoco, em mão, uma carta, adiantando que se tratava da proposta formal de agraciar o Sr. Tinoco de Bastos Correia Salvado Matos com o título nobiliárquico[88] de cavaleiro. Havia poucos na vila que não soubessem da manigância[89].

[85] **Banda:** lugar.

[86] **Tramoia:** situação criada de propósito para se conseguir algo, enganando alguém.

[87] **Mandatário:** pessoa enviada para cumprir uma ação oficial.

[88] **Título nobiliárquico:** título de nobreza; duque, arquiduque, visconde, barão, entre outros, são títulos nobiliárquicos.

[89] **Manigância:** estratagema; tramoia.

[90] **Estar à pinha:** estar completamente cheio.

[91] **Contemplar:** observar, atenta e demoradamente.

[92] **Acalmar os ânimos:** fazer com que um grupo de pessoas exaltadas se acalme.

[93] **Burburinho:** barulho provocado por pessoas a falar ao mesmo tempo em tom de voz baixo.

Assim se planeou, assim se executou. No dia da brincadeira, o Café Real estava à pinha[90].

Depois de o falso mandatário sair, Tinoco ficou no café, pasmado, a olhar para a carta que a sua mão agarrava. Estava realmente incrédulo, porque sabia obviamente da alta improbabilidade daquilo que lhes estava a ser anunciado.

– Então, homem, não abres? – Alguém perguntou, sem conseguir esconder a excitação.

Tinoco abriu. Dentro do envelope estava uma folha de papel, com isto escrito:

– *Foge cão, que te fazem barão!*

– *Mas para onde, se me fazem visconde?*

Quando Tinoco levantou os olhos do papel e contemplou[91] a plateia é que se ouviu a gargalhada geral. Esperou que os ânimos se acalmassem[92] e quis tomar a palavra, mas o burburinho[93] não o deixava.

– Chiu! O doutor vai falar!

Tinoco leu então em voz alta o conteúdo da pseudocarta, fingindo, meio a brincar, meio a sério, que não sabia que lhe estavam a pregar uma partida[94]. Depois, disse:

– As pessoas pensam que esta tirada[95] é um simples ditote[96] popular, mas este escrito é da autoria de Almeida Garrett[97], autor português do século XIX. Garrett disse isto para ridicularizar a atribuição de títulos de nobreza a membros da burguesia. Porém, mais tarde, ele próprio foi agraciado[98] com o título de Visconde e não recusou. Isto só mostra que não é vergonha nenhuma mudar de opinião ou de atitude perante a vida e que qualquer pessoa deve ter o direito de o fazer.

Silêncio prolongado. Até que alguém disse:

– Serve mas é aí um copo, ó Tinoco, que se me seca a goela[99].

[94] **Pregar uma partida:** fazer uma brincadeira maliciosa para enganar alguém, ridicularizando-o.

[95] **Tirada:** frase ou expressão célebre e expressiva, que é dita muitas vezes.

[96] **Ditote:** dito jocoso; frase feita que provoca riso.

[97] **Almeida Garrett:** autor português da primeira metade do século XIX, romancista, poeta e dramaturgo, responsável pela reforma do teatro em Portugal.

[98] **Agraciado:** que recebeu um benefício em reconhecimento de um mérito.

[99] **Goela (informal; popular):** garganta.

Exercícios

Compreensão

1. Escolha a opção correta, de acordo com o sentido do texto.

1. Tinoco ficou nervoso ao receber Dom Duarte Pio no seu estabelecimento
   a) por ele ser uma figura da televisão.
   b) por os trolhas estarem a fazer muito barulho.
   c) por ele ser o representante da monarquia.
   d) por não ter vinho verde.

2. Os assessores de Dom Duarte riram-se de Tinoco
   a) por este andar com a camisa de fora.
   b) por este ter falado num registo extremamente formal.
   c) por este não parar de rondar a mesa.
   d) por já estarem um pouco bêbedos.

3. Tinoco tinha mais habilitações do que os restantes habitantes da terra. Sabemos isso porque
   a) via sempre um programa cultural na televisão.
   b) era chamado para discursar em festas religiosas.
   c) conhecia o significado das datas históricas.
   d) tinha terminado o ensino secundário.

4. Tinoco tinha pena de não conseguir perceber o que Dom Duarte Pio e os seus assessores diziam à mesa, porque
   a) gostaria de partilhar das suas ideias e valores.
   b) queria saber se estavam a gostar da comida.
   c) era coscuvilheiro ou, pelo menos, muito curioso.
   d) gostava de aprender a falar à maneira de Lisboa.

5. Tinoco deixou Dom Duarte e os assessores saírem sem pagar porque
   a) sabia que mais dia menos dia ia receber o pagamento.
   b) respeitava muito a monarquia.
   c) foi tomado de surpresa.
   d) tinha sido um privilégio tê-los no seu estabelecimento.

6. O orgulho de Tinoco na carta que lhe foi dirigida por Dom Duarte está evidenciado
   a) no facto de constantemente mostrar a carta aos clientes.
   b) no facto de ter mudado o nome do café para «Café Real».
   c) no facto de ter mandado encaixilhar a carta.
   d) na alegria que sentiu ao receber a carta.

7. Tinoco prezava particularmente a figura do rei D. Manuel II
   a) por este ser fisicamente parecido com Dom Duarte.
   b) por ter sido um homem bom, sendo vítima de acontecimentos trágicos.
   c) por ter participado na Primeira Guerra Mundial.
   d) por gostar de coristas.

8. Nas suas crónicas da rubrica «A República das Bananas», Tinoco
   a) faz a divulgação da História de Portugal, gramática e literatura.
   b) faz ataques ferozes a quem despreza a figura de Dom Duarte.
   c) critica os vários Governos da República.
   d) tenta sempre escrever ao estilo de Camilo Castelo Branco.

9. Tinoco pagou caro o gosto que desenvolveu pelo estudo, pois
   a) a mulher ameaçou deixá-lo.
   b) os clientes gozavam com ele.
   c) foi acusado de ser antidemocrático.
   d) nunca chegou a receber o título nobiliárquico.

Vocabulário

2. As frases abaixo têm palavras que estão incorretamente usadas. Identifique essas palavras e substitua-as pelas palavras certas.

NOTA: As palavras a substituir aparecem glosadas no conto.

a) O congressista foi confrontado com provas que mostravam que o que ele defendia não tinha sustentabilidade. Isso não impediu que ele fosse sempre tratado com respeito e inferência. ___________

b) O aumento destemperado da despesa pública veio trazer um agravamento dos impostos. ___________

c) Os pais têm de ter noção de que, além de todos os cuidados e novelos para com as crianças, é preciso educar e impor-lhes regras. ___________

d) Na zona da Serra da Estrela há cada vez mais lojas de artesanato que propõem a devastação de queijos da serra. ___________

e) As revistas cor de rosa gostam de publicar curiosidades da vida das pessoas célebres. Mas esses são assuntos que nunca deviam sair do desacato familiar. __________

f) A superfície dos planetas mais distantes do sistema solar mantém-se imperdoável, mesmo para os maiores telescópios terrestres. __________

g) O mágico entrou, tirou o coelho da cartola e fez um truque de magia. Depois, fez uma hérnia e foi-se embora. __________

h) Durante a perseguição, os polícias dispararam quatro tiros de intimidação, o que, no entanto, não fez meter os assaltantes. __________

i) Cruzámo-nos agora com um turista alemão que vinha a subir a serra em sentido contrário ao nosso. Ele estava muito arrepiado por ninguém lhe ter sabido explicar os percursos pedestres que existem na serra. __________

j) Em 1989, o mundo assistia incrível à queda do muro de Berlim. __________

k) As gerações futuras terão de carregar o pesado pardo de limpar o planeta dos resíduos que todos os dias lançamos para o solo e para o ar. __________

l) Não podemos ignorar os povos que continuam hoje a sofrer as ternuras dos regimes totalitários. __________

m) O professor de Matemática é um homem íngreme, honesto, acima de qualquer suspeita. Não acredito que tivesse agredido alguém. __________

n) Os regimes ditatoriais são enganadores dos bens das pessoas, casas e terrenos, ao mesmo tempo que lhes roubam a liberdade. __________

o) Os desportistas que tomam *doping* são travesseiros e vigaristas. Não há outros adjetivos para os classificar. __________

p) Esta empresa respeita a lei dos direitos dos trabalhadores. Quem diz o contrário quer apenas regredir a imagem da empresa. __________

q) Ontem, no caminho para casa, deixei cair o meu contrato de trabalho. Quando voltei para trás à procura dele, estava todo molhado e calçado pelos transeuntes. __________

r) Até agora, 30 jornalistas assinaram a petição por considerarem arrepiante o editorial publicado ontem, que apelidava os seus colegas de «trupe de agitadores». __________

s) A diversidade da oferta não poderá desarrumar a garantia de um elevado padrão de qualidade. __________

t) Na minha aldeia, as pessoas eram tão fanáticas por futebol que passavam o jogo todo a praticar contra o árbitro. __________

u) Os alunos tinham uma grande admiração por aquele professor e estudavam com absinto. __________

v) A sala de espetáculos foi classificada como património a preservar, mas, por alguma abundância, decidiram interpretar à letra a palavra «sala» e demoliram o palco. __________

w) Quando o juiz declarou encerrada a audiência, gerou-se um burrinho na sala. __________

x) O miúdo não queria tomar o xarope de jeito nenhum, e a mãe teve de lhe tapar o nariz e enfiar-lho pela moela abaixo. __________

Gramática

3. Preencha os espaços com os verbos no modo conjuntivo, no tempo adequado.

NOTA: Em alguns casos, a frase está na voz passiva.

a) Não é de admirar que o rei __________ (ser) reconhecido em todo o lado. Afinal, ele é uma figura mediática.

b) Enquanto Dom Duarte e os seus assessores não __________ (estar) saciados, Tinoco não se cansava de os servir com todo o esmero.

c) Com a ausência de Tinoco, o negócio do café corria o risco de falir, a menos que ele __________ (contratar) alguém para o substituir.

d) Por mais que Tinoco se __________ (esforçar) por chamar as pessoas à discussão, através das suas crónicas, a verdade é que nunca conseguiu cativar o seu interesse.

e) Às vezes, à saída do café, alguns clientes diziam:

– Ó Tinoco, quando __________ (ir) ver o rei, manda-lhe os meus cumprimentos!

f) A mulher de Tinoco também não o apoiava muito e dizia frequentemente:

– Ó homem, agora deste em intelectual? Era o que me faltava! Faz lá o que __________ (querer) desde que não __________ (ser) à custa aqui da Maria!

g) No dia em que lhe pregaram a partida, Tinoco, chateado, fechou o café mais cedo e disse:

– Sugiro que se __________ (retirar) todos para vossas casas, pois receio bem que hoje já tenham bebido de mais.

h) O facto de Tinoco se ter tornado um homem sabedor não implicou que ele __________ (passar) a ser mais respeitado, muito pelo contrário.

i) Talvez um dia __________ (fazer) justiça a Tinoco.

j) Se alguém __________ (ler) as obras de Camilo Castelo Branco todas de seguida verá o seu próprio estilo de escrita afetado.

k) Ainda que as crónicas de Tinoco não __________ (merecer) grande atenção quando saíram no jornal, elas foram depois publicadas em livro e tiveram muito sucesso.

l) As vastas leituras levadas a cabo por Tinoco contribuíram para que ele __________ (ter) um grande *savoir-faire* aquando da sua resposta aos provocadores.

m) Há um ditado que diz «Em Roma, sê romano». Isto quer dizer que nos convém ser como a maioria, mesmo que __________ (viver) contrariados, pois só assim conseguiremos passar despercebidos e escapar a críticas e sarcasmos. Foi isso que Tinoco se recusou a fazer e, como consequência, teve de arcar toda a vida com comentários desdenhosos.

n) Não foi só a Almeida Garrett que __________ (atribuir) um título nobiliárquico. No século XIX passou até a ser moda comprar títulos de nobreza.

o) É de supor que __________ (haver) poucas pessoas com as qualidades de Tinoco. Mas muitas vezes o valor das pessoas só é reconhecido depois da sua morte.

Perguntar não ofende?

A aldeia de Rocas tem pouco mais de 150 habitantes, todos eles com fama de serem muito abespinhados[1]. Os das aldeias vizinhas, para os verem irritados, perguntam-lhes:

– Quem roubou as galinhas?

A resposta pode vir sob a forma de um chorrilho[2] de insultos ou sob a forma de projétil[3].

A história que está por detrás desta pergunta não é comparável a mais nenhuma outra, mas tem, inexplicavelmente, um aspeto em comum com a pergunta que era feita aos de Mortágua. Aqui, também, quem perguntasse «Quem matou o juiz?» corria o risco de ser insultado – ou coisa pior.

[1] **Abespinhado:** com mau feitio; facilmente irritável.

[2] **Chorrilho:** grande quantidade de coisas que se sucedem ininterruptamente.

[3] **Projétil:** objeto que pode ser projetado, atirado.

[4] **Coimbra:** cidade célebre pela sua universidade. A Universidade de Coimbra é uma das mais antigas da Europa.

[5] **Linha da Beira Alta:** ligação ferroviária que liga a Pampilhosa (perto de Coimbra) à fronteira com Espanha (Vilar Formoso).

[6] **Palavrão:** palavra rude, obscena e ofensiva.

[7] **Juiz de fora:** magistrado indicado pelo rei de Portugal para exercer a justiça num determinado concelho.

[8] **Discriminatório:** que discrimina, que prejudica uns e favorece outros.

Há não muito tempo, aliás, era mesmo tradição os estudantes de Coimbra[4], que iam pela Linha da Beira Alta[5], deitarem a cabeça de fora na estação de Mortágua e perguntarem em coro: «Quem matou o juiz?». Faziam-no só quando o comboio já ia a arrancar, para fugirem à resposta, que invariavelmente correspondia a palavrões[6] ou pedradas.

O curioso é que ninguém sabia a propósito de quê é que se fazia esta pergunta e muito menos quem era esse tal juiz.

Ora, o juiz em causa existiu mesmo. Viveu no século XIV e era mesmo o juiz de fora[7] de Mortágua. O magistrado exercia o poder de modo discriminatório[8] e abusivo. Protegia os ricos e perseguia os pobres com impostos elevados e expropriações[9], ignorando as suas queixas. O povo encheu-se daquilo[10] e concertou[11] a vingança. Certo dia, um grupo de indivíduos entrou de assalto na casa do juiz. Ele ainda conseguiu escapar pelas traseiras, mas de manhã apareceu morto nas águas do rio Criz. O autor material do crime estava por apurar. Sem nenhuma pista sobre o executante, a única solução era chamar à barra do tribunal[12], um a um, todos os habitantes da vila na condição de réus do crime de homicídio. O livro de registo de depoimentos desse julgamento tem centenas de páginas, preenchidas todas com a mesma pergunta e a mesma resposta:

– Quem matou o juiz?

– Foi Mortágua!

Foi assim que o povo de Mortágua evitou que um dos seus membros fosse julgado e castigado por um ato que todos firmemente apoiavam.

Este caso foi relatado em 1918 pelo poeta e historiador José Tomás da Fonseca[13], natural de Mortágua, no livro *Memórias do Cárcere – diário de um prisioneiro político*. O autor enaltece a união, a coragem e a dignidade de um povo face ao autoritarismo, injustiça e abuso de poder de um indivíduo.

O que é que aconteceu (ou não aconteceu) para que mais tarde os habitantes de Mortágua passassem a sentir-se ofendidos com a pergunta «Quem matou o juiz?» – e porque é que os de fora achavam que a pergunta era ofensiva – é que não é fácil de entender. A única explicação possível é que os mortaguenses não leram o livro de Tomás da Fonseca – nem eles, nem quase ninguém, pelos vistos. Se o tivessem lido, perceberiam que a pergunta invoca um episódio da história de Mortágua que ilustra a luta contra a autocracia.

No caso da pergunta que enfurece os da aldeia de Rocas, a história é bem diferente. Os que os provocam com a pergunta «Quem roubou as galinhas?» sabem bem a razão da provocação – e os da aldeia também.

[9] **Expropriação:** quando uma autoridade oficial tira o terreno a alguém para esse terreno passar a beneficiar a comunidade.

[10] **Encher-se de uma coisa:** ficar farto dessa coisa.

[11] **Concertar:** combinar, arranjar.

[12] **Chamar à barra do tribunal:** convocar alguém oficialmente para prestar declarações perante um juiz.

[13] **Tomás da Fonseca**: preso em 1918, acusado de envolvimento na Revolução de 12 de Outubro contra Sidónio Pais.

Em pouco mais de dois meses, a aldeia tinha sofrido uma severa onda de assaltos. A GNR[14] era chamada ali dia sim dia não. Uma vez foi porque as ovelhas do tio[15] Elviro apareceram todas tosquiadas[16]; outra vez porque roubaram um motor de rega[17]; outra vez ainda porque desapareciam os sacos de pão que o padeiro pendurava nas portas das casas de manhã cedo. Ainda se deu o caso do laranjal carregado de laranjas que amanheceu sem uma única laranja pendurada.

O cúmulo dos assaltos aconteceu com a tia Maria das Dores. A tia Maria andava a ser tratada dos rins e o médico mandou-a fazer uma análise à urina de 24 horas. Ia a pobre mulher pela beira da estrada com o pote de xixi numa alcofa[18] para entregar no Posto Médico[19] da aldeia, para ser depois enviado para o laboratório, quando, de repente, passam dois maganos[20] de mota a grande velocidade e limpam-lhe[21] a alcofa.

[14] **GNR:** Guarda Nacional Republicana.

[15] **Tio/Tia (ou Ti):** forma de tratamento informal comum nas aldeias portuguesas entre pessoas do mesmo estrato social.

[16] **Tosquiar:** cortar rente; rapar a lã das ovelhas.

[17] **Motor de rega:**

[18] **Alcofa:** saco flexível e de forma oval, feito de vime ou palma, geralmente com asas.

[19] **Posto Médico:** unidade de saúde onde se encontram técnicos de saúde para atender a população de uma determinada área.

[20] **Magano:** pessoa sem escrúpulos.

[21] **Limpar alguma coisa a alguém:** Neste contexto: roubar.

[22] **Vir nos anais:** estar registado.

[23] **Às cegas:** sem se basear em nenhuma informação prévia.

[24] **Coadunar:** juntar, combinar-se.

Tais crimes não vinham nos anais[22] da história da investigação criminal. Por isso, a Polícia andava a fazer a investigação às cegas[23], sem nenhuma pista em concreto. Os bens roubados eram muito distintos, não se coadunavam[24] com um perfil consistente de um único ladrão responsável por todos os assaltos. Havia, pois, a necessidade de ponderar vários ladrões a operar independentemente uns dos outros. Mas se assim era, porquê a intensidade de assaltos num curto período de tempo?

Não eram só os bens subtraídos que estavam em causa, na verdade. As repercussões na convivialidade da aldeia de Rocas, já de si debilitada por causa do mau feitio dos seus moradores, fizeram-se imediatamente sentir. Face ao fracasso cada vez mais certo da investigação da Polícia, crescia a desconfiança arbitrária para com os mais vulneráveis da aldeia. Gerou-se uma espécie de clima de caça às bruxas, e aquelas pessoas que tivessem alguma vez feito algo contra a tradição e os bons costumes eram olhadas de soslaio[25], primeiro, e apontadas como culpadas, depois.

[25] **Ser olhado de soslaio:** ser olhado de lado; considerado com desconfiança.

[26] **Bairro Alto:** bairro antigo e pitoresco do centro de Lisboa.

[27] **Casar-se em segundas núpcias:** casar-se pela segunda vez.

[28] **Solar:** casa imponente e luxuosa, com arquitetura requintada, pertencente a um nobre.

[29] **Salazar:** presidente do Conselho de Ministros que governou Portugal em regime ditatorial (1933–1968).

[30] **Tresloucado:** louco.

[31] **Naco:** pedaço de qualquer coisa.

[32] **Angariar:** conseguir reunir uma coisa para um determinado fim.

Uma das principais vítimas desta sede justiceira foi a tia Bofareta. A tia Bofareta, ou Bonifácia Felícia Reigoso Roseta, tinha sido fadista em Lisboa, no Bairro Alto[26], mas casou-se em segundas núpcias[27] com o capitão Roseta, viúvo, uns 20 anos mais velho do que ela, de grandes bigodes e posses, proprietário do solar[28] dos Beltrões, frequentado no tempo da Guerra por figuras ilustres da nação – dizem que até pelo próprio Salazar[29]. Bonifácia não teve filhos e aconteceu que o capitão morreu e a herança foi integralmente para os seus quatro filhos, do primeiro casamento. Bonifácia ficou sozinha, na miséria e um pouco tresloucada[30]. Não admira. Dedicava-se agora a pedir esmola de porta em porta, vagabundeando quer pela aldeia de Rocas, quer pelas aldeias vizinhas. Ao fim do dia, chegava ao seu casebre de granito, com o telhado a cair, e espalhava no alpendre todas as coisas que lhe tinham dado, em geral, alimentos: um braço de cebolas, uma garrafa de azeite, um rabo de bacalhau, coisas assim. O facto de Bonifácia andar de casa em casa, entrando pelas propriedades das pessoas, espreitando pelas cozinhas, onde lhe acabavam por dar uma sopa ou um naco[31] de queijo, fazia com que a mulher conhecesse bem o que cada habitante tinha e não tinha. Este simples facto tornou-a suspeita. As pessoas, vendo as coisas que ela tinha angariado[32] ao longo do dia, passaram a questionar-se se tudo aquilo tinha realmente sido dado ou se tinha sido furtado. A imagem de Bonifácia na mente daquela gente reconfigurou-se e ela passou a receber cada vez menos esmolas. Como tinha vivido em

Lisboa, nunca tinha aprendido a cultivar nada, nem umas couves, nem umas batatas. De qualquer maneira também não tinha terreno. A consequência foi que Bonifácia, até aí amparada[33] pela comunidade, passava agora fome.

Outra vítima da desconfiança generalizada foi Augusto Rambóias. O homem era feirante. Andava de terra em terra nas feiras a vender leitão assado, mas foi apanhado pela ASAE[34] sem uns papéis quaisquer e levou com uma multa de 15 mil euros. A multa arruinou-lhe o negócio. Antes deste desaire[35], todos o cumprimentavam na rua, mas agora que o viam em dificuldade, com sinais exteriores de pobreza, fingiam que não o viam. Daqui até começar a maledicência[36] foi um passo curto. Começou a dizer-se que na família de Augusto havia uma tendência congénita[37] para roubar. O boato concretizou-se quando no café da aldeia alguém disse que o avô de Augusto, o Marcelino Rambóias «que Deus tem», com nove filhos para criar, roubou um leitão a um vizinho. Alguém contou – ou inventou – os pormenores da história:

– A Polícia não fazia ideia nenhuma de quem era o ladrão e andava a revistar todas as casas a pente fino[38] a ver se encontrava o leitão desaparecido, vivo ou morto. A maneira de o tio Marcelino esconder o porquinho foi pô-lo no berço[39] onde até havia pouco tempo dormia o filho mais novo. Quando a Polícia chegou a casa do homem, encontrou-o junto do berço a cantar uma canção de embalar. Cantava assim: «Hã, hã, hãe, quem cá dera ao pé de ti a tua mãe... Hã, hã, hãe, quem cá dera ao pé de ti a tua mãe...». Vistes[40]? Não lhe bastava o leitão, ainda queria a porca sua mãe!

O avô de Augusto, a partir daquele momento, deixou de ser apenas ladrão, para ser o cúmulo da manha[41]. A desconfiança para com Augusto era agora total.

[33] **Amparar:** ajudar.

[34] **ASAE:** Autoridade de Segurança Alimentar e Económica.

[35] **Desaire:** desgraça, má sorte.

[36] **Maledicência:** ato de dizer mal de alguém.

[37] **Congénito:** que nasce com a pessoa.

[38] **Passar/Revistar uma coisa a pente fino:** analisar cuidadosamente essa coisa.

[39] **Berço:** pequena cama com grades e, por vezes, baloiçante, onde dormem os bebés.

[40] **Vistes:** verbo «ver» na 2.ª pessoa do plural do Pretérito Perfeito do Indicativo. Esta forma está a cair em desuso, mas ainda é usada no Norte e Nordeste de Portugal, sobretudo em meios rurais.

[41] **Manha:** astúcia, esperteza.

Sem negócio e com má fama, Augusto não se ficou[42]. Passou a cultivar um pequeno terreno e criava galinhas. Como tinha espírito empreendedor e jeito para o negócio, depressa transformou o galinheiro num pequeno aviário, com cerca de 50 galinhas, para produção de ovos. A venda dos ovos tinha altos e baixos. Mais baixos do que altos. A maior parte do ano, Augusto não vendia quase nada, porque, afinal, na aldeia quase toda a gente tinha galinhas poedeiras[43], mas no Natal, na Páscoa, nas festas de agosto, casamentos e batizados, ou seja, sempre que era necessário fazer doces em quantidade, lá estava o Augusto para suprir a falta de ovos e abastecer toda a gente com as quantidades necessárias.

[42] **Não se ficar:** não ficar sem fazer nada e reagir.

[43] **Poedeira:** galinha que põe ovos em abundância.

[44] **Boda:** almoço da festa de casamento.

[45] **De arromba:** espetacular, impressionante.

[46] **Junta (de Freguesia):** órgão executivo de uma freguesia (subdivisão de um concelho).

[47] **Sito (formal):** situado.

[48] **O/Do mesmo:** maneira formal de retomar uma palavra já usada na frase ou oração anterior (neste caso, «aviário»).

Assim aconteceu nos preparativos da boda[44] de casamento do André Souto com a Carla Silva. Aliás, aconteceu melhor. A família Souto era contra o casamento por achar que a família Silva não tinha estatuto económico nem social equiparável à sua. Para mostrar que não eram nenhuns pelintras, os Silva, pais da noiva, que por tradição pagam a boda, fizeram questão de fazer uma festa de arromba[45], aberta a toda a aldeia, presidente da Junta[46] incluído. Até os operacionais da GNR foram convidados. O pai da noiva fez a reserva de ovos ao Augusto e comprou-lhe toda a sua produção de cinco dias.

O pior veio a seguir. Faltavam dois dias para a boda e deu-se o roubo do ano. Grande parte das galinhas do aviário de Augusto sumiu-se sem deixar rasto. Augusto chamou imediatamente a GNR. Os polícias tomaram conta da ocorrência, registando que «no dia 7 de julho foi reportado o roubo de 33 galinhas pelo senhor Augusto Rambóias, morador na quinta do Bouco. Em diligências preliminares, verificaram-se sinais de arrombamento da porta do aviário, sito[47] na morada supracitada, bem como marcas de rodagem de veículo pesado no local, não pertencente ao proprietário do mesmo[48].»

– Agora, senhor Augusto, é esperar a ver o que conseguimos descobrir, mas dizemos-lhe já que, com a quantidade de assaltos que tem havido por aqui, não temos mãos a medir[49] e é bem provável que nunca cheguemos a encontrar o ladrão. Temos falta de meios para investigar. Estamos em crise e o Governo, como sabe, não investe na Polícia – disse um dos polícias.

Augusto revoltou-se. Porém, em vez de gritar palavrões de protesto, como é costume fazer-se, foi sarcástico:

– Já fui roubado por colegas vossos, da ASAE, ao abrigo da lei. Ser agora roubado por ladrões fora da lei não é admiração nenhuma.

[49] **Não ter mãos a medir:** ter excesso de trabalho; estar muito ocupado.

[50] **Coxo:** pessoa que caminha inclinada para um dos lados por ter um problema numa perna.

[51] **Entrevado:** pessoa que não pode caminhar e que por isso está numa cadeira de rodas ou na cama.

[52] **Com a barriga a dar horas:** com fome.

[53] **Música pimba:** música popular de má qualidade, cujas letras têm conotações sexuais ou sentimentalismos patéticos.

[54] **Arroz de cabidela:** arroz feito com a carne e o sangue da galinha.

[55] **Tirar nabos da púcara:** obter informações pormenorizadas sobre alguém ou alguma coisa.

[56] **Pita (informal, popular):** galinha.

[57] **Dar conta do recado:** realizar uma tarefa com sucesso.

Foi o bastante para ganhar a má vontade dos polícias.

Chegou o dia do casório. Augusto também foi à festa, como quase toda a gente da aldeia, tirando os coxos[50] e entrevados[51]. A cerimónia na igreja demorou uma eternidade e no fim, com a barriga a dar horas[52], foram todos para a quinta dos pais da noiva, para atacar a boda.

O tempo estava bom e comia-se ao ar livre debaixo de toldos. Mais adiante, estava o conjunto musical *Os Rouxinóis* num palanque a tocar uma música pimba[53] qualquer.

Havia canja de galinha, galinha na púcara e arroz de cabidela[54]. Augusto ficou intrigado. Foi pelas traseiras da cozinha meter conversa com a cozinheira a ver se tirava nabos da púcara[55]. Mas a mulher, uma vizinha dos Silva, não sabia qual o fornecedor das pitas[56]. Queixou-se de que as galinhas eram todas um pouco rijas e que tinham demorado muito tempo a cozinhar.

– E o pior é que me apareceram com elas em casa todas vivas. Tive uma trabalheira para as matar e depenar!... Foi a minha comadre e a minha sobrinha que me ajudaram, se não, não dava conta do recado[57] – desabafou a pobre mulher.

– E quantas galinhas eram ao todo[58]? – perguntou Augusto.

– 33, a idade de Nosso Senhor Jesus Cristo, nem mais nem menos. – respondeu a mulher.

Augusto correu para junto dos comensais[59] e foi direito à mesa dos GNR. Ainda ofegante[60], declarou:

– Já sei quem me roubou as galinhas!

– Ah, sabe? Agora o senhor já investiga crimes, já?

– E não foi preciso investigar muito para descobrir que a carne que aqui se está a comer neste casamento é carne roubada!

– Ai é roubada? Roubada por quem? Pode saber-se?

– Pela família da noiva! Todos vocês são cúmplices[61] do roubo das minhas galinhas porque todos estão a beneficiar desse crime! – e esta última frase foi proferida alto e em bom som.

– E o senhor tem provas?

– Não tenho provas. Tenho factos. Eu tinha 33 galinhas e a cozinheira disse que matou 33 galinhas para a boda.

– O senhor está a fazer uma acusação muito grave! Para acusar, tem de ter provas – disse um guarda.

– Isso pode muito bem ser só uma coincidência de números – disse outro. – 33 é a idade de Nosso Senhor Jesus Cristo quando morreu na cruz. Vê? Tem aí outra coincidência. O senhor faça o favor de se acalmar. Sente-se e coma sossegado.

Mas Augusto continuou a barafustar[62]. O pai da noiva, apercebendo-se do burburinho, mandou aumentar o volume da aparelhagem. Augusto rebentou de raiva. Subiu ao palanque, tirou o microfone ao vocalista[63] d'*Os Rouxinóis* e declarou aos gritos e em voz amplificada:

– Esta boda é uma boda de ladrões! Se o Manel Silva não tinha dinheiro para pagar a boda, que não se metesse a fazê-la. Mas não!! Não quis ficar atrás[64] da família do noivo e achou por bem ir roubar-me as galinhas, a mim, que trabalho honestamente e nunca me meti com ninguém! Eu é que sou o ladrão!

[58] **Ao todo:** na totalidade.

[59] **Comensal:** pessoa que come com outras à mesa.

[60] **Ofegante:** com dificuldade em respirar; sem fôlego.

[61] **Cúmplice:** pessoa que ajuda na realização de um crime.

[62] **Barafustar:** protestar, reclamar.

[63] **Vocalista:** pessoa que canta numa banda.

[64] **Não querer ficar atrás:** rivalizar com outra pessoa para manter o mesmo grau de importância.

Eu é que venho de uma família de ladrões! Povo de pulhas[65]! Vocês...

Não acabou a frase porque o agarraram dois matulões[66], que o levaram dali para fora.

Foi então a vez de Manel Silva subir ao palanque para, com todo o à-vontade, dizer que Augusto já estava bêbedo e que a festa devia continuar normalmente.

65 **Pulha:** patife, canalha, pessoa sem carácter.

66 **Matulão:** rapaz grande e forte.

67 **Depor:** prestar declarações em contexto oficial.

68 **Tomar (uma coisa) como:** interpretar essa coisa.

69 **Gatunagem:** bando de ladrões ou gatunos.

Só passado um mês é que Augusto foi chamado à esquadra para depor[67]. O processo foi arquivado e Manel Silva nunca foi incomodado, mas a história espalhou-se rapidamente pelas aldeias vizinhas.

Hoje, quem passar por Rocas e quiser experimentar a fúria estupidamente genuína dos seus populares, basta perguntar «Afinal, quem é que aqui roubou as galinhas?» – o que eles tomam como[68] uma acusação de gatunagem[69].

Exercícios

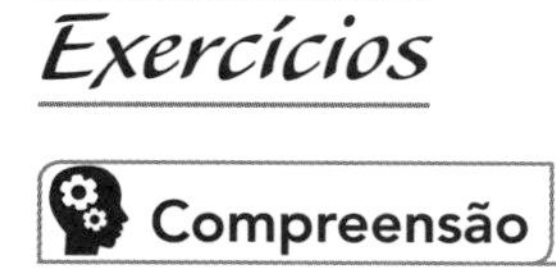

Compreensão

1. Ordene as frases, considerando a ordem pela qual as informações são referidas no conto. Escreva o número de ordem à frente de cada frase.

- ☐ a) Marcelino foi uma das vítimas da difamação.
- ☐ b) Os habitantes de Rocas sabem porque é que lhes fazem a pergunta provocatória, mas os de Mortágua não.
- ☐ c) Rocas sofreu uma onda de assaltos.
- ☐ d) Quem morava em Rocas era considerado à partida como alguém de feitio irascível.
- ☐ e) Aquilo que Rocas tinha em comum com Mortágua era o facto de em ambas as localidades não se poder fazer uma certa pergunta sem sofrer retaliações.
- ☐ f) O caso do roubo das galinhas nunca foi levado a tribunal e por isso é que a pergunta «Quem roubou as galinhas?» irrita tanto os habitantes de Rocas.

☐ g) As pessoas que moravam ali perto gostavam de provocar os habitantes de Rocas.

☐ h) Foi o número de galinhas mortas para a boda que convenceu Augusto de que a festa estava a ser feita às custas dele.

☐ i) A história subjacente à pergunta feita aos habitantes de Mortágua está documentada.

☐ j) O facto de não se ter descoberto o ladrão (ou ladrões) gerou um clima de suspeita indiscriminada.

Vocabulário

2. Complete o crucigrama.

Horizontal	Vertical
1. ladrão	2. sucessão de muitas coisas
4. homem grande	3. grupo de ladrões
6. protestar	5. pequena cama de bebé
8. juntar	7. dar informação em tribunal
9. ajudar	
10. a respirar depressa	

Gramática

3. Nas frases abaixo, há verbos que deviam ter *se*, mas nem todos. Reescreva cada frase, acrescentando o pronome *se* nos casos em que ele é necessário.

NOTA: Relembre as diferentes posições que o pronome *se* pode ter na frase.

a) Quem quisesse ver insultado, era perguntar a alguém de Mortágua «Quem matou o juiz?».

b) O povo de Mortágua vingou do juiz vilão.

c) Quem atirou o juiz ao rio é coisa que ainda hoje não sabe.

d) Ninguém em Mortágua confessou o crime.

e) Tomás da Fonseca, antes de escrever o seu livro sobre o juiz de Mortágua, assegurou da veracidade dos factos.

f) Bonifácia era fadista em Lisboa, mas depois mudou para a aldeia.

g) Era uma mulher muito emotiva e, ao primeiro impulso, atirou para os braços do capitão.

h) Depois da morte do capitão, a tia Bofareta deu mal, pois ficou sem rendimentos próprios e tinha de pedir esmola.

i) Intrigou a Polícia estarem a ocorrer tantos crimes num tão curto período de tempo.

j) Havia quem risse da história do avô de Augusto Ramboias, mas Augusto não lhe achava graça nenhuma.

k) Os Silva asseguraram o abastecimento da carne para a boda de casamento à custa de Augusto.

l) A resposta de Augusto irritou o polícia.

m) Augusto apercebeu de que havia alguma coisa de errado na boda quando viu que havia muitos pratos à base de galinha.

n) Augusto não podia calar! Enquanto não acusasse os convivas da boda de cumplicidade no roubo das galinhas, não sossegava.

o) As consequências do roubo das galinhas nunca fizeram sentir, dado que ninguém foi castigado. Tal como em Mortágua, em Rocas também ninguém acusou.

O engenheiro Franco

Os terrenos de cultivo férteis, como os lameiros[1], com abundância de água e boa exposição solar, são preciosos para qualquer proprietário agricultor. Dão milho em abundância, dão pastagens para a criação[2] e são excelentes para a cultura da batata ou do feijão.

Quando há que fazer as partilhas[3] e proceder a uma justa distribuição de uma herança, os irmãos a quem cabem[4] os lameiros recebem menos porção de terreno ou bens imóveis do que os outros irmãos, que, com terras mais pobres, podem apenas plantar vinha, oliveiras ou deixar para pinhal. As desavenças[5], por vezes violentas, entre irmãos são frequentes quando chega a hora de disputar as terras mais ricas para cultivo.

[1] **Lameiro:** terreno húmido e fértil.

[2] **Criação:** animais criados numa quinta.

[3] **Fazer as partilhas:** dividir uma herança.

[4] **Caber:** calhar, atribuir.

[5] **Desavença:** discórdia entre pessoas que eram amigas.

[6] **Não ser tido nem achado:** não ser ouvido numa situação de decisão.

[7] **Alienar:** deixar de estar na posse de uma coisa, passando essa coisa para outro.

[8] **Indemnização:** ato de dar ou receber uma compensação por uma perda sofrida.

[9] **Passo de gigante (expressão idiomática):** ser uma diferença muito grande

Imagine-se agora o que é um agricultor receber a visita de um certo engenheiro que o informa de que os seus terrenos vão ser expropriados por razões de utilidade pública para a construção de uma autoestrada. Quando o traçado de uma estrada é definido e o mapa de terrenos a expropriar é desenhado, os proprietários não são tidos nem achados[6]. São obrigados a alienar[7] os seus terrenos. O pior é que, em geral, as indemnizações[8] são tão reduzidas que o montante que lhes é dado é meramente simbólico, não lhes permitindo comprar outro terreno de valor equivalente noutro sítio. É claro que a lei garante o direito a uma «justa indemnização», mas a distância entre o conceito e o valor em dinheiro equivale a um passo de gigante[9].

O susto de poderem ser expropriados dos seus terrenos atingiu vários agricultores em diferentes aldeias do distrito de Viseu, no breve decurso de duas semanas. Quando menos davam conta, já andava um indivíduo, que se apresentava como sendo «o engenheiro Franco», acompanhado de um outro que dizia ser seu «agente técnico», a fazer cálculos no terreno, com um arsenal[10] de aparelhos de medição topográfica.

Foi assim mesmo que aconteceu a Mário Mocas. Vinha ele de dar de comer à criação, a meio da manhã, quando vê lá em baixo no seu lameiro duas silhuetas[11] escuras a esgravatar[12] aqui e ali. Furioso, foi direito[13] àquela gente como um tiro. Era a descer, o que ajudou. Porém, ao deparar-se com pessoas tão bem vestidas e tão concentradas em operações aparentemente complexas, em vez de os expulsar imediatamente dali, como seria natural, acanhou-se[14] e, já se sentindo um tanto ou quanto embaraçado por uma tão súbita impetuosidade[15], perguntou, em voz humilde:

– Bom dia, senhores. O que é querem os senhores aqui das minhas terras? Sou agricultor, não estou interessado em vender nenhuma das minhas propriedades.

– O senhor não está vendedor, nem nós somos compradores. O que se passa é que o senhor ficará privado[16] da titularidade[17] deste terreno ao abrigo da lei de expropriação por utilidade pública.

– Isso traduzido por miúdos dá o quê?

– Em primeiro lugar, deixe que me apresente. Sou o engenheiro Franco. Estou a representar a concessionária *Autoestradas de Portugal, S. A.* Estamos a fazer medições no seu terreno para fazer o projeto de implantação da autoestrada altitudinal que vai rasgar o país de norte a sul, diretamente de Bragança a Faro.

[10] **Arsenal:** grande quantidade de objetos destinados a uma finalidade.

[11] **Silhueta:** figura apenas definida pelos contornos da sombra que projeta.

[12] **Esgravatar:** remexer a terra.

[13] **Ir direito a:** ir rapidamente e pelo percurso mais curto.

[14] **Acanhar-se:** sentir alguma vergonha ou embaraço.

[15] **Impetuosidade:** qualidade daquele que é impetuoso, ou seja, impulsivo e irritado.

[16] **Ficar privado de:** perder o acesso a um bem material, benefício ou anterior direito.

[17] **Titularidade:** aquele que é titular ou dono de uma coisa tem a titularidade dessa coisa.

[18] **Baldio:** terreno que não é cultivado.

[19] **Atazanar:** atormentar.

[20] **Lezíria:** terreno plano, situado nas margens de um rio.

[21] **Betão:** mistura de cimento, areia e água, para pavimentação.

[22] **Condoer-se:** sentir compaixão.

– E essa autoestrada vai passar no meu lameiro?

– Exatamente.

Mário Mocas engoliu em seco, mas, ainda incrédulo, perguntou, indignado:

– Tanta terra baldia[18] por este santo Portugal afora e a autoestrada vai ser plantada mesmo aqui no meu lameiro?!

– Compreendo a sua preocupação, mas foi assim determinado por uma equipa de engenheiros de elevada competência, à qual, aliás, pertenço.

O agricultor explodiu:

– Ah, já sei o que é! Já sei o que é!! São coisas do palhaço do presidente da Junta para me atazanar[19], é o que é! Só porque eu fiz queixa dele de ter mandado deitar herbicida nos caminhos públicos. Fiz queixa, sim, senhor! Morreram-me duas ovelhas envenenadas!

– Não tenho conhecimento desse problema, mas garanto-lhe que vai passar aqui uma via de elevadíssima importância para a nação.

Mário Mocas ofegava. Sentiu tonturas. Uma dor funda de angústia invadia-lhe o peito. Caminhou uns passos para a esquerda e para a direita. Parou, levantou a cabeça a contemplar as lezírias[20] que brilhavam ao sol forte da manhã no seu verde-escuro resplandecente de força e vivacidade. Lá mais adiante viam-se três largos poços com bordos em tijolo laranja. A extensão rematava com a fileira dos salgueiros a marcar o traçado da ribeira da Nossa Senhora da Aparecida. Pensar que tudo aquilo ia ser destruído para ali passar uma língua de betão[21] trazia a Mário Mocas náuseas de aflição.

Franco quase que se condoeu[22] de o ver naquela agonia.

– É claro que há a possibilidade, ainda que remota, de o traçado passar por outro lugar. Por isso é que a empresa tem uma comissão específica para analisar os pedidos dos cidadãos a expropriar – avançou Franco.

Mário Mocas arregalou os olhos.

– Ah, sim? Acha que sim? Acha que se eu for lá à empresa pedir, há alguma hipótese de eles aceitarem? Onde é a empresa? É em Lisboa?

– O senhor terá de fazer um pedido por escrito… e pagar uma taxa de 1500 euros.

[23] **Avalizar:** garantir por aval (aprovação).
[24] **Aplanar:** tornar plano.

– 1500 euros??!!

– Sem IVA. Com IVA, são mais 23%.

– Mas isso é um roubo!

– Compreendo a sua posição, mas repare que é preciso pagar a uma comissão de oito pessoas para analisarem o seu pedido, e estas pessoas muitas vezes vêm do estrangeiro, é preciso pagar-lhes viagens, alojamento, alimentação enquanto estão em Portugal.

– É preciso virem estrangeiros para lerem os pedidos?

– A nossa empresa presta um serviço de alta qualidade e por isso queremos que as decisões sejam avalizadas[23] pelos mais acreditados especialistas.

– 1500 euros…

– Mais 23%.

Silêncio.

– Está bem. Eu vou ao seu escritório amanhã e entrego o dinheiro vivo e a carta com o pedido escrito. Onde é o escritório?

– Não precisa de se deslocar aos nossos escritórios. Amanhã, estamos de volta para continuar o serviço de medição, e pode entregar-me o dinheiro a mim.

– O senhor vem para cá amanhã outra vez?! Então, mas se eu lhe estou a dizer que vou fazer o pedido e pagar o que me pedem…

– Mas, meu caro senhor, enquanto não vier a decisão oficial de suspensão das operações no seu terreno, nós teremos sempre de continuar o nosso serviço.

– Mas vão pôr aqui as máquinas a aplanar[24] isto?

– Não, este mês está apenas reservado para tarefas de medição e triangulação.

– Do mal, o menos.

Ao outro dia, ainda antes das 9h, o engenheiro Franco e o seu agente técnico estavam no terreno em manobras. O Mário Mocas, a meio da manhã, depois de tratar da criação, foi ter com eles e entregou ao engenheiro Franco o dinheiro e a carta, como combinado.

Foi esse o último dia em que Mário Mocas os viu. Os homens nunca mais regressaram.

A alegria e alívio de Mário Mocas era tanta que a princípio nem percebeu que tinha sido vítima de burla[25]. Só passada uma semana é que o homem foi dar parte à Polícia. Foi quando estava a formalizar a queixa que o agente lhe disse que ele já era o sétimo queixoso no espaço de 15 dias.

– Então e já têm um suspeito? – perguntou Mário Mocas, excitado.

– Ora bem... Se ele fez tantos estragos só em 15 dias é porque, mal acaba de extorquir[26] um proprietário, passa logo para outro. Ele precisa de pelo menos dois dias para cada vítima, assumindo que cada vítima cai que nem um patinho[27], como o senhor.

Mário Mocas ia a abrir a boca em protesto, mas o polícia continuou:

– Pela nossa experiência, e baseando-nos em estudos científicos de investigação criminal, é provável que o tratante[28] desapareça subitamente daqui da região para ir atuar noutra área ou até noutro país.

– Quer dizer que se não o apanharem por estes dias...

– Nicles[29].

Mário Mocas até hoje não foi ressarcido[30] do prejuízo, mas o falso engenheiro foi apanhado e condenado a sete anos de prisão. Apanhou em acréscimo[31] vários castigos, porque, logo no primeiro ano, o seu talento de gatuno revelou-se intacto[32], tendo conseguido vigarizar[33], por várias vezes, os outros reclusos[34], que já de si não eram flor que se cheirasse[35].

Franco era um homem alto, dos seus 40 e poucos anos, bem-parecido, andar gingão[36] e bigode à Clark Gable. Os olhos, porém, tinham uma eterna expressão infantil. Talvez por isso tivesse tanto sucesso a vigarizar as pessoas. E a partir corações.

[25] **Burla:** fraude.

[26] **Extorquir:** tirar à força, roubar.

[27] **Cair que nem um patinho:** deixar-se enganar com muita facilidade.

[28] **Tratante:** patife.

[29] **Nicles (popular):** nada.

[30] **Ressarcir:** reparar o mal ou prejuízo feito a alguém; compensar.

[31] **Em acréscimo:** acrescentado.

[32] **Intacto:** não alterado ou modificado.

[33] **Vigarizar:** enganar.

[34] **Recluso:** preso, prisioneiro.

[35] **Não ser flor que se cheire:** não ser uma pessoa em quem se possa confiar.

[36] **Andar gingão:** maneira de caminhar em que o corpo balança para um lado e para o outro.

Conta-se que na sua hábil[37] gestão da política interna da prisão, Franco conseguiu obter uma cela[38] com uma pequena janela para o exterior. A cadeia em causa ficava no centro histórico da cidade de Viseu e uma das ruas contígua à parede da cadeia era relativamente movimentada. Era para essa rua que dava a janela de Franco. Foi por essa janela que Franco conseguiu namorar, durante sete meses, uma moça que era empregada de limpeza numa casa abastada de um juiz desembargador[39]. A paixão foi crescendo, a confiança mútua[40] também. Até ao dia em que despontou[41] de novo em Franco o impulso congénito[42] de trapacear[43] – mesmo quem o amava.

[37] **Hábil:** que se revela capaz de fazer alguma coisa de uma maneira muito competente.

[38] **Cela:** pequeno compartimento, numa prisão.

[39] **Juiz desembargador:** juiz de tribunal de segunda instância (que revê casos já analisados por outros juízes).

[40] **Mútuo:** recíproco; que acontece reciprocamente entre duas pessoas.

[41] **Despontar:** começar a aparecer.

[42] **Congénito:** que nasce com a pessoa.

[43] **Trapacear:** enganar.

[44] **Magicar:** planear.

[45] **Pôr no penhor:** quando alguém precisa de dinheiro, entrega um objeto de valor no penhor para poder levar o dinheiro emprestado. O objeto serve de garantia de pagamento da dívida. Quando o dinheiro é devolvido, o objeto regressa ao dono.

Foi assim. Um dia, como tantos outros, a moça foi visitá-lo à janela. Nesse dia, por acaso, levava num saco um belo par de botas de montar que pertenciam ao seu patrão e que se destinavam ao sapateiro. Franco, num abrir e fechar de olhos, magicou[44] uma estratégia para ganhar algum dinheiro. Disse à moça:

– Estou com tanta vontade de fumar um cigarrinho. Não me ias ali ao café comprar um maço de tabaco? Podes deixar aqui as botas, para não ires carregada.

A rapariga assim fez. E deixou as botas. Enquanto foi, Franco observava com atenção as pessoas que passavam na rua. Até que avistou um pedinte que ele conhecia. Chamou-o:

– Pssssst, ó pá!!

– Hã? Eu?

– Sim, tu! Chega-te aqui. Se me fores pôr estas botas no penhor[45], dou-te 10% do preço delas. Mas não me vigarizes, porque eu vou sair daqui em breve e se vejo que me estás a aldrabar[46], dou-te uma malha[47] que é o fim da tua vida. Olha, a verdade é que nem preciso de sair. Tenho amigos aí fora que te dão cabo do canastro[48], por isso nem penses.

O homem foi com as botas e voltou com o dinheiro.

[46] **Aldrabar:** enganar.

[47] **Dar uma malha em alguém:** bater violentamente em alguém.

[48] **Dar cabo do canastro:** bater em alguém.

[49] **Empréstimo:** ato de emprestar; contrato através do qual um banco empresta dinheiro.

Quando a moça chegou do café, nem Franco, nem botas. Esperou quase duas horas pelo namorado. Primeiro ficou aflita, a pensar que alguma coisa de mal lhe tinha acontecido. Ainda chegou a ir à receção da prisão saber dele, mas foi só quando lhe disseram que nada de anormal se tinha passado por ali que ela se lembrou das botas desaparecidas. O namorado tinha-a trocado por um par de botas.

Franco era assim.

Durante os três últimos anos, antes de sair, Franco tirou um curso de inglês na escola da prisão, fez ainda um outro de contabilidade e gestão e era muito acarinhado pelos voluntários da associação católica «Os Bons Samaritanos», que prestavam assistência espiritual aos prisioneiros nas suas visitas regulares. Quando saiu em liberdade, foi com a ajuda desta associação que conseguiu um emprego e um empréstimo[49] para comprar casa.

Obtido o empréstimo, fugiu para o Brasil e nunca mais ninguém o viu.

Exercícios

1. Escolha a opção correta, de acordo com o sentido do texto.

1. Os lameiros são terrenos muito valorizados porque
   a) são objeto de disputa aquando das partilhas.
   b) são terrenos férteis.
   c) tanto dão para agricultura como para construção de estradas.
   d) são os escolhidos para as expropriações.

2. As expropriações, de um modo geral, representam um problema para os proprietários porque
   a) o Estado retira o terreno ao dono por decisão unilateral.
   b) a lei prevê indemnizações muito baixas.
   c) estes veem os seus terrenos serem, a seguir, vendidos por um preço muito mais elevado.
   d) as indemnizações raramente são justas.

3. No primeiro encontro com o «engenheiro» Franco e o seu assessor, Mário Mocas refreou a sua fúria porque
   a) eles apresentavam-se como pessoas de elevado estatuto social e profissional.
   b) percebeu imediatamente que Franco era engenheiro.
   c) teve medo de retaliações.
   d) era uma pessoa educada e humilde.

4. Mário Mocas estava convencido de que a escolha do seu lameiro para a construção de uma autoestrada
   a) era importante para o país, apesar de o prejudicar particularmente.
   b) era resultado de uma vingança do presidente da Junta.
   c) tinha como objetivo único extorquir-lhe dinheiro.
   d) era a evolução natural do progresso.

5. As reações emotivas de Mário Mocas perante a notícia da expropriação foram de
   a) desgosto, resignação, mas também de esperança.
   b) escárnio, a princípio, e, depois, incredulidade.
   c) indignação, fúria e, por fim, agonia.
   d) revolta, dor e vingança.

6. A boa aparência de Franco
   a) prejudicava-o nas suas vigarices.
   b) estimulava-o a fazer novas vigarices.
   c) facilitava-lhe a vida na hora de fazer vigarices.
   d) tornava-o hábil na gestão dos seus interesses na prisão.

7. O fim do namoro com a moça é um episódio que exemplifica
   a) a ingenuidade das raparigas novas.
   b) a frieza de Franco.
   c) a falta de segurança nas prisões.
   d) o amor não correspondido.

Vocabulário

2. Em cada alínea há três frases, cada uma com um espaço para preencher. Preencha cada espaço sabendo que em cada alínea tem de usar a mesma palavra nas três frases.

NOTA: As palavras a utilizar estão glosadas no conto.

a) Um guarda não chegava para garantir a vigilância a todo aquele __________ de armas. / Por entre um __________ de medidas de segurança, manifestações e contramanifestações, os chefes de Estado dos países industrializados deram início à Cimeira. / A ideia de protecionismo ou de preferência nacional é suscetível de ser combatida no âmbito do nosso __________ jurídico.

b) O Governo, para equilibrar o défice, está só a vender património, até que chegará o dia em que não há mais bens para __________. / O futebol é uma forma de __________ o povo, distraindo-o dos reais problemas do país. / Os acordos económicos estabelecidos entre países não significa que esses mesmos países estejam a __________ a sua soberania.

c) Feita a _________, caberá a cada um cerca de 250 mil euros. / Este acordo pauta-se pela abertura e concorrência comercial com os outros países industrializados, _________ de responsabilidades de segurança entre Estados e relação com os países em vias de desenvolvimento. / Meus caros, a _________ de pontos de vista é sempre bem-vinda, mas são 21h e ainda não decidimos que ações vamos tomar para resolver o problema.

d) Os turistas ficaram com uma péssima recordação da expedição, depois de se verem a bordo de uma embarcação inadequada, manejada por um pescador pouco _________. / O presidente encontrou uma solução _________, agradando a gregos e a troianos. / O que parecia uma jogada _________ há um ano é agora vista como um erro.

e) Foi atribuída uma compensação financeira, destinada a _________ a empresa dos prejuízos suportados em 2016. / O processo judicial pretende _________ a viúva dos danos pessoais e morais sofridos, pelos quais será pedida uma indemnização. / O empresário é indiciado como o principal responsável pelo desvio de quatro milhões de euros, estando agora a tentar _________ os acionistas através de um compromisso assinado de saldar as contas com a empresa até àquele montante.

f) A agressão surgiu na sequência de uma _________ familiar, segundo informou a GNR. / Não há nada como uma boa _________ para afiar a luta de ideias. / Perante a drástica redução de recursos orçamentais pelas crises comerciais e financeiras, as elites entraram em _________ profunda e permanente até ao colapso final.

g) Já escolhi o meu vestido de noiva. Tem uma _________ simples e a complexidade dos bordados é que lhe dá a graça. / Comprei uma *t-shirt* bem gira, com a _________ do rato Mickey. / Embora ligeiramente mais pequena do que a cegonha-branca, a cegonha-preta possui uma _________ muito semelhante e distingue-se sobretudo pelo facto de ser toda negra, com exceção do ventre, que é branco.

h) Comprei uma casa de granito na serra e ando a _________ na forma de lhe dar um aspeto mais acolhedor. / O chefe de serviço disse, meio a rir, meio a sério, que mais valia cair em graça do que ser engraçado e ela foi para casa a _________ naquilo. Será que o seu emprego estava em risco? / O que me dá mais prazer é estar quieto no meu canto, sozinho, a _________ no próximo livro que vou escrever.

Gramática

3. Sublinhe a alternativa correta.

NOTA: Há três frases em que as duas alternativas estão corretas.

a) Mário Mocas não desconfiou que o engenheiro o **pudesse/pôde** enganar.

b) Por mais que se **pensar/pense** no bem público, é humano e natural tentar conservar aquilo que é nosso.

c) Quem hoje **vá/vai** a Viseu, ainda pode ver os vestígios da cadeia antiga.

d) Mário Mocas arrependeu-se de ter pensado mal do presidente da Junta – não que ele **merecesse/mereça** muita consideração, mas é justo dizer que Mário Mocas lançou uma suspeita infundada sobre o homem.

e) Ninguém sabe se Franco ainda **está/esteja** no Brasil ou não.

f) O cúmulo da ironia é um vigarista que se **deixe/deixa** vigarizar – como aconteceu aos colegas que partilhavam a prisão com Franco.

g) Quando a namorada **regressasse/regressou** à casa do juiz sem as botas, ia ouvir uma severa repreensão ou até, quem sabe, ser despedida.

h) Que Franco **era/fosse** inteligente ninguém duvidava. Só que a esperteza dele só lhe dava para o mal.

i) Custa-me a acreditar que Franco se **regenerou/regenerasse**.

j) Caso **receba/receber** uma visita inesperada na sua propriedade, nunca se esqueça de pedir a identificação documentada da pessoa.

4. Reescreva as frases utilizando as palavras dadas.

a) Os lameiros são muito rentáveis na produção agrícola, portanto, é natural que sejam os terrenos mais cobiçados.

sendo

____

____

b) Mário Mocas não iria recuperar o seu dinheiro, por mais que fizesse.

nada

____

____

c) Quem tem uma boa aparência tem mais probabilidade de gerar mais empatia.

aumenta

____

____

d) Franco trocou a namorada por um par de botas. Parece impossível!

que

____

____

Aulas de condução

[1] **Encartado:** que tem carta (licença) de condução.

[2] **Tirar a carta:** passar no exame de condução e ficar com a licença de conduzir.

[3] **Engatar:** fazer a ligação de uma máquina (neste caso, motor) e as peças que ela deve pôr em movimento.

[4] **Com a agravante de:** a que se junta outro aspeto negativo.

[5] **Fazer o código:** passar no exame teórico de condução.

[6] **Galgar:** transpor, passando por cima.

Na Inglaterra ou na Suécia, para alguém aprender a conduzir basta pôr uma placa no carro e ter um amigo ou um familiar encartado[1] que se disponha a ensiná-lo. Em Portugal não é assim. Para uma pessoa tirar a carta[2] de condução tem de frequentar uma escola, onde há instrutores com formação específica para ensinar a conduzir em carros adaptados para o efeito.

A ação desta história passa-se toda dentro de um carro de instrução. O instrutor é o Sr. Gabriel dos Anjos e o aluno, aspirante a encartado, é o Sr. Emílio Pimenta.

O carro já tem muitos anos e muito uso, por isso as mudanças custam a entrar, é preciso bater as portas com força para elas fecharem, o espelho retrovisor tem o suporte colado e de vez em quando descola-se. O motor vai abaixo quando está em ponto-morto e é preciso estar sempre a acelerar um bocadinho quando não está engatado[3].

O Sr. Emílio Pimenta não é muito dotado para a condução, com a agravante de[4] já andar pelos 40 e tal anos e a destreza e rapidez de reação já lhe começarem a faltar. O facto de ser por natureza muito nervoso também não ajuda nada. Já fez o código[5], mas a seguir chumbou duas vezes no exame de condução porque galgou[6] um passeio quando tentava estacionar, da primeira vez, e pisou o traço contínuo, da segunda. Precisa da carta porque ficou desempregado depois de trabalhar 25 anos numa fábrica de produção de pasta de papel. Agora tem a possibilidade de ser agente de *marketing* de uma editora escolar e precisa de se deslocar a várias escolas do país. Pai de duas meninas, sente bastante pressão para conseguir trazer dinheiro para casa.

Apesar de a mulher estar empregada – trabalha na secretaria do Centro de Saúde –, o rendimento familiar é muito magro e não chega para as despesas regulares. Emílio gosta de pensar que tem um *part-time* e faz bonecos de cortiça, que consegue meter dentro de garrafas para depois vender nas feiras de artesanato. Ganha pouco dinheiro com isso, mas é uma atividade que o descontrai. Já ofereceu duas destas garrafas ao seu instrutor.

O instrutor, o Sr. Gabriel, é homem dos seus 50 anos e nunca teve outra profissão. Teve um casamento de curta duração no início da vida ativa[7]. Não tem filhos. Filho único, trata da mãe de 80 anos, que vive sozinha num prédio antigo no centro da cidade. É um homem extremamente religioso que tenta a todo o custo compatibilizar a doutrina cristã com a observação empírica. Os meses de convivência com Emílio, dentro do carro de instrução, cidade acima, cidade abaixo, deixaram-no à vontade para algumas reflexões de teor[8] teológico.

– Não há dúvida de que nós, homens, temos alma, ao contrário dos animais. A prova de que os cães não têm alma está no facto de, por exemplo, eles não se rirem. É a alma que nos faz ter emoções e consciência das emoções – e do pecado também. Sem alma, não podemos ter consciência do pecado. Por exemplo, eu ontem comi uma morcela[9] inteira ao jantar. Tenho consciência de que cometi o pecado da gula[10], mas é a minha alma ou o meu estômago pesado que hoje me acusam de ter comido de mais? Um cão pode sentir o estômago pesado, mas não lhe pesa a consciência, porque não tem alma, que nos dá a nós, humanos, a capacidade de refletirmos e de decidirmos sobre as nossas próprias ações. Estás a ver a minha ideia, Emílio?

– Estou, estou... – atalhou[11] Emílio, aflito com as mudanças.

– Dá-lhe outra, Emílio! – E Emílio deu outra volta à rotunda[12].

[7] **Vida ativa:** período de vida em que se tem uma profissão, ou seja, em que nem se é estudante, nem se é reformado.

[8] **Teor:** género, tipo, qualidade.

[9] **Morcela:** enchido feito com o sangue e a gordura do porco.

[10] **Gula:** vício de comer ou beber em excesso.

[11] **Atalhar:** Neste contexto: dizer precipitadamente alguma coisa, interrompendo o outro.

[12] **Rotunda:**

[13] **Mudança (do carro):** parte do motor que permite transformar a potência em movimento.

[14] **Enaltecer:** elogiar excessivamente.

[15] **Canonizar:** declarar como santo.

[16] **Ponto de embraiagem:** quando engatamos a primeira mudança e soltamos o pedal da embraiagem devagarinho fazemos ponto de embraiagem.

[17] **Soluço:** som curto e repetido da garganta que fazemos involuntariamente. Um carro que vai aos soluços arranca e para repetidamente.

[18] **Andar na mão:** seguir na faixa de rodagem que lhe pertence.

[19] **Instilar:** introduzir, fazer penetrar; insinuar.

– O que estás a fazer, Emílio?! Andamos de carrossel agora? Dá-lhe outra mudança[13]! Pronto, aí está! Então, estava eu a dizer, a consciência do pecado, e o próprio pecado em si, é que nos faz humanos. Se Adão não tivesse pecado, não era humano, pois seria tão perfeito como Deus e isso não podia ser, pois não, Emílio? Mas então o pecado pode ser visto como um instrumento de afirmação da supremacia de Deus. Na verdade, poderíamos pensar que Deus permite o pecado para não ter concorrência na sua magnificência. Acontece que se Deus já é o Todo-Poderoso, para que é que Ele precisa da queda do Homem para se enaltecer[14]? Por isso é que até há homens que se tornam santos canonizados[15], para serem uma espécie de assessores de Deus. Quem diz homens, diz mulheres. Olha, ainda agora, a Madre Teresa de Calcutá. Aborreço-te, Emílio?

– Não, não... continue.

– Cuidado com esse ponto de embraiagem[16]. Vamos aqui aos soluços[17] ou quê? Segue em frente. Encosta-te bem à direita. Tu acreditas em Deus, Emílio?

– Não... quer dizer, sim. Bem, não sei muito bem.

– Mas Deus acredita em ti, porque tu és um homem bom. Deus conta com pessoas como tu para tornar o mundo melhor.

– Não sou bom a conduzir... Já é a segunda vez que chumbo...

– Conduzir, qualquer burro conduz, Emílio! Mas a verdadeira bondade está em vias de extinção. Ei! Eh lá! Outra vez! Vais no meio da estrada! Encosta-te à direita, encosta. Isso. Assim. Deves andar sempre na mão[18], encostadinho à direita. Vi ontem no canal História que no tempo da Segunda Guerra Mundial, na Polónia, numa zona rural, houve aldeias que protegeram os seus judeus, sabendo que punham seriamente as suas vidas em risco, e houve outras que os entregaram logo aos nazis. Na televisão não explicaram esta diferença de comportamento dos aldeãos, mas, para mim, o que aconteceu foi que a aldeia que entregou os judeus devia ter um ou dois elementos da pior espécie, que conseguiram instilar[19] o seu ódio nos outros. Tu não sentes isso, Emílio?

Numa empresa, numa escola, num trabalho qualquer, basta haver uma pessoa a meter veneno[20] neste e naquele para, passado pouco tempo, já toda a gente andar à pancada uns com os outros. Basta uma maçã podre para estragar toda a fruteira. Eu acho que a maioria das pessoas tem uma bondade latente[21], mas só as pessoas verdadeiramente boas, de uma bondade refletida, digamos assim, conseguem fazer despertar essa latência nos outros com o seu exemplo de caridade, abnegação[22] e tolerância. Tu és uma dessas pessoas, Emílio.

– Eu ando só a fazer pela vida[23], Sr. Gabriel...

– Faz o que te digo, Emílio, anda pela mão! Que mania de andar no meio da estrada, homem! Chega-te à direita. O Diabo também era um anjo que habitava o Céu, mas tornou-se invejoso da omnipotência de Deus e, claro, Deus teve de o expulsar. A partir daí, o Diabo só fez diabruras e o mundo está como está. É como te digo, basta um elemento mau para estragar toda a harmonia. O Céu tem uma corte[24] de anjos, mas o Inferno só precisa de um inquilino[25], o Diabo. E ele, sozinho, consegue gerar todas as desgraças do mundo. É errado as pessoas dizerem «Com mil diabos!», porque Diabo só há um. E a maioria de nós, em vez de pensar nestas coisas, como eu penso, quer é futebol, febras e vinho tinto. O mundo desmorona-se[26] a nossos pés. São as guerras, são as alterações climáticas... Deus qualquer dia farta-se de nós e depois quero ver como é.

[20] **Meter veneno:** dizer mal de outra pessoa ou de um grupo de pessoas, com base muitas vezes em relatos deturpados, para desencadear no ouvinte uma reação negativa para com essa(s) pessoa(s).

[21] **Latente:** que não se manifesta exteriormente.

[22] **Abnegação:** desprendimento dos seus próprios interesses e bens.

[23] **Fazer pela vida:** trabalhar com empenho.

[24] **Corte:** residência de um rei e dos que com ele vivem.

[25] **Inquilino:** pessoa que mora numa casa arrendada.

[26] **Desmoronar-se:** cair, vir abaixo.

[27] **Reforma:** aposentação; pensão mensal recebida por um funcionário que já completou os anos de serviço previstos por lei.

[28] **Peregrinação:** viagem a um lugar santo.

[29] **Fátima:** santuário de Fátima (Igreja Católica).

Epílogo

Gabriel dos Anjos pediu a reforma[27] antecipada depois de, numa peregrinação[28] a Fátima[29], ter sido atropelado por um condutor que ia demasiado chegado à berma[30] da estrada, acidente que o deixou hospitalizado durante dois meses, a que se seguiu uma recuperação de mais de seis.

[30] **Berma:** faixa que segue sempre ao lado da estrada, por onde os carros não podem andar, mas onde podem parar em caso de emergência.

[31] **PME:** Pequena e Média Empresa.

Emílio Pimenta passou para outro instrutor, que tinha a grande virtude de não abrir a boca a não ser para dizer «vire à direita», «vire à esquerda», tendo ficado finalmente aprovado no exame. Porém, deixou de precisar da carta, porque, entretanto, perdeu a oferta de emprego na editora. Especializou-se na construção de barcos de cortiça dentro de garrafas, criou uma PME[31] e agora exporta a sua arte para todo o mundo através de um *site* de vendas *online*.

Exercícios

Compreensão

1. Foram retiradas seis frases do texto reproduzido nas páginas seguintes. Escolha a frase que deve ser recolocada corretamente no texto.

NOTA: Há duas frases a mais. Não vai precisar delas.

A Aquilo era para ele como música de elevador.

B Quem diz homem, diz mulher, evidentemente.

C Essa é uma das manias dos instrutores de condução, a de imporem o seu estilo de condução, sem sequer ouvirem por um segundo o seu aluno, observarem a sua sensibilidade, verem onde estão as suas dificuldades.

D Por um lado, porque quase todas as pessoas que conhecemos já têm carta de condução há muito tempo.

E Aí é que ele se atrapalhava todo.

F O homem estava preocupado com a maldade no mundo e apenas desejava que todos vivêssemos em paz uns com os outros.

G Além disso, retomar uma atividade depois de se ter fracassado não deve ser nada fácil.

H Mas antes de se chegar propriamente ao exame, as aulas de condução podem já ser um problema.

Aprender a conduzir aos 40 ou 50 anos pode ser realmente um desafio. (1) __________. Por outro, há uma certa ansiedade e nervosismo, porque se se chumbar no exame é uma vergonha. É claro que um adulto já tem obrigação de ter aprendido a falhar e de reagir com serenidade e racionalidade sempre que não consegue atingir os seus objetivos. Mas justamente por ser adulto é expectável que não falhe, dado que a sua experiência e treino mental já o deveriam ter capacitado para as várias funções com que se venha a deparar na sua vida profissional ou pessoal. É este o dilema que, nestas circunstâncias, sofre um homem já entrado na idade. (2) __________.

Acresce a este dilema, o facto de que cada vez que se requer novo exame, ser necessário efetuar novo pagamento – e o montante a pagar não é pouco. (3) __________. Dentro de um carro de instrução, o instrutor é dono e senhor do que se passa lá dentro. E nem sempre o domínio do instrutor sobre o carro e o aprendiz se restringe à esfera da arte de conduzir. Para falarmos claro: há situações em que o instrutor, em vez de ajudar, só atrapalha.

Que o diga o pobre do Emílio Pimenta, meses a ouvir o seu instrutor, Gabriel dos Anjos, na sua ladainha de reflexões teológico-filosóficas de teórico amador. Emílio já tinha conseguido abstrair-se completamente da lengalenga do instrutor. (4) __________. Percebia que havia som, mas conseguia bloquear os canais mentais através dos quais o som se transforma em alguma forma de sentido remoto. Esta é uma capacidade não desprezível, aliás, dado que por defeito o nosso cérebro está comandado para procurar construir significado a partir de todos os *inputs* sensoriais.

O pior era quando o instrutor decidia perguntar alguma coisa a Emílio. (5) __________. Como não sabia o que responder, tentava inventar alguma resposta que fizesse sentido. Esse esforço ocupava-lhe completamente a mente. Por momentos, perdia a noção de que estava a conduzir e fazia asneira: ou não metia a mudança devida e o carro ia aos pinotes, ou deixava-se ir para o meio da estrada, ou não via um transeunte a atravessar na passadeira... Enfim, um perigo.

O Sr. Gabriel, por seu turno, não fazia ideia do grandessíssimo chato que estava a ser e do quanto estava a prejudicar o seu aluno. Gabriel tinha um intuito pedagógico e, como todos os maus pedagogos, não se apercebia de que o que estava a dizer não tinha interesse nenhum para Emílio.

Ninguém, no entanto, pode censurá-lo e dizer que ele agia de má-fé. (6) __________. Se virmos bem, parece um objetivo bem simples. Por que razão é que a Humanidade nunca o conseguiu atingir é a pergunta primordial.

Não é, portanto, com satisfação que vemos o Sr. Gabriel deitado numa cama a recuperar de um atropelamento. No entanto, se o acidente não tivesse ocorrido, é provável que Emílio nunca tivesse conseguido tirar a carta. Ironicamente, quando a tirou, deixou de precisar dela.

Vocabulário

2. Use a palavra da direita para formar a palavra com que deve preencher o espaço da frase do lado esquerdo.

A A viagem para Barcelona fica mais cara de comboio do que de avião, com a __________ de se ter de mudar de comboio.	agravar
B Se é mesmo __________ e não resiste a um belo bolo, talvez seja melhor passar pela nossa pastelaria em Lisboa. Este mês é dedicado ao morango.	gula
C Em situações de crise vemos ações de solidariedade onde menos poderíamos esperar, atitudes, por vezes, da maior __________ ou da maior generosidade.	abnegar
D Eu gosto muito de peixe grelhado. Mas comer peixe todos os dias também enjoa. Não me façam implorar por uma __________ de dieta!...	mudar
E S. Teotónio foi __________ por decisão dos bispos portugueses, posteriormente confirmada pelo Papa Alexandre III.	cânone
F O incêndio após a explosão provocou uma grande nuvem contendo benzeno, um produto __________.	veneno
G Após a arrojada travessia de uma ribeira seca, para __________ caminho, as duas equipas encontraram uma terceira e tentaram saber se estavam no trilho certo.	atalho
H O __________ de um muro ao princípio da tarde de ontem soterrou e destruiu uma frutaria, não se tendo registado feridos.	desmoronar

 Gramática

3. Preencha os espaços com a forma correta de conjuntivo do verbo indicado entre parêntesis.

a) Em Portugal, quem __________(querer) aprender a conduzir terá de se dirigir a uma escola de condução.

b) Para ter a carta é preciso fazer dois exames. Quem só __________(fazer) exame de código não fica encartado. Tem mesmo de fazer o exame de condução.

c) Se o instrutor Gabriel __________ (querer) mesmo ajudar o aluno a passar no exame, falava menos de teologia e mais de condução.

d) Ainda que __________(ter) chumbado duas vezes, Emílio não desistia.

e) Não havia razão para que o carro de instrução __________(estar) em tão mau estado.

f) Não é que o Sr. Gabriel __________ (ser) má pessoa, não posso dizer que é. Ele só tem um feitio muito especial.

g) Quer __________ (estar) provado cientificamente quer não __________(estar), a verdade é que há a ideia generalizada de que é mais fácil para o indivíduo tirar a carta quando é novo.

h) Não é certo que Emílio __________ (conduzir) no meio da estrada. A verdade é que o instrutor Gabriel tinha uma obsessão com a condução rente à berma da estrada.

i) As teorias teológicas do Sr. Gabriel tinham muito de amadorismo e talvez algumas até __________ (ser) um pouco estranhas. __________ (ser) como __________ (ser), não era só pelo facto de o instrutor falar muito que Emílio chumbava nos exames, era porque ele próprio também era um pouco inepto.

j) É irónico que __________ (ser) justamente numa ida a Fátima que o Sr. Gabriel viesse a sofrer aquele acidente.

k) Que os negócios desenvolvidos apenas na Internet __________(estar) a prosperar ninguém duvida. Mas também aqui é preciso investir tempo e dinheiro, como em qualquer outro negócio.

Luís Toiros

Luís nasceu em casa. Numa casa no cimo de uma serra, a 20 km da Covilhã. É filho único. A mãe morreu nova, com leucemia, e o pai nunca mais voltou a casar-se. Pai e filho viviam de um grande rebanho que tinham, de 37 ovelhas. Vendiam borregos[1] e leite para a produção de queijo da Serra. À mesa, batatas, couves e feijões que cultivavam. De lés a lés[2], umas sardinhas; no Natal, um bacalhau.

Luís, aos 8 anos, começou a ir à escola. Levava três quartos de hora a pé para lá chegar. Só havia uma professora, que tinha todas as classes, da 1.ª à 4.ª. A principal preocupação da professora estava em preparar os alunos da 4.ª classe para o exame nacional, de modo que os da 1.ª e 2.ª classes ficavam no fundo da sala, a copiar interminavelmente o *a e i o u*, semana após semana. O método de ensino era simples: ou aprendes ou levas pancada de criar bicho[3]. Então, à sexta-feira de manhã, dia dos ditados, era palmatoada[4] de meia-noite[5]. Todos os alunos da 3.ª e 4.ª classe se punham em fila e, à vez, estendiam a mão para apanhar umas quantas reguadas, na proporção direta dos erros ortográficos dados. As palmas das mãos ficavam então vermelhas e inchadas, o que era especialmente doloroso no inverno, por causa das frieiras[6]. Luís não apanhava reguadas, porque estava no grupo dos esquecidos ao fundo da sala. Mas sabia que ia chegar a vez dele, um dia, e só de ver o sofrimento dos outros ficava com dores de angústia no estômago.

[1] **Borrego:**

[2] **De lés a lés:** de tempos a tempos, muito raramente.

[3] **Pancada de criar bicho (expressão idiomática):** castigo corporal violento.

[4] **Palmatoada:** pancada com palmatória na palma da mão.
Palmatória: instrumento de madeira com um disco e um cabo que servia para bater nas crianças na palma da mão.

[5] **De meia-noite (expressão idiomática):** muito intenso.

[6] **Frieira:** inflamação na pele produzida pelo frio.

[7] **Tacitamente:** implicitamente, sem ser abertamente dito.

[8] **Rendimento:** salário, dinheiro que se ganha.

[9] **Desavindo:** que está em conflito ou que se desentendeu com alguém.

[10] **Ser um cabo dos trabalhos (expressão idiomática):** ser muito difícil.

A razão por que esta e outras professoras, senhoras em tudo o resto bem formadas, com um curso, frequentadoras da missa, muito abnegadas em todas as atividades de beneficência, batessem assim tão selvaticamente nas crianças, e com particular sadismo nas mais pobres, é ainda hoje um traço de comportamento que está por explicar. É claro que a prática era autorizada institucionalmente e era tacitamente[7] vista como um meio eficaz de impor o respeito pela autoridade. Mas o facto de muitas destas professoras serem colocadas em aldeias isoladas, longe da sua família, também pode ajudar a explicar a violência com que tratavam os alunos. O isolamento agrava-se com as restrições ao casamento. No Estado Novo, as professoras primárias tinham de pedir autorização ao ministro da Educação Nacional para se casarem, podendo esta apenas ser concedida se o pretendente tivesse comprovadamente um rendimento[8] igual ou superior ao da eventual futura esposa.

Em todo o caso, Luís só andou na escola um ano. O pai tirou-o de lá, não porque não quisesse que o filho aprendesse a ler e a contar, mas porque tinha de o ir buscar todos os dias de inverno, quando o sol se punha cedo, e acompanhá-lo pelas matas até casa, o que lhe causava grande transtorno, a ele e às ovelhas, pois tinha de as recolher muito cedo e ordenhá-las já muito de noite.

Porém, decidido a não deixar o filho analfabeto, como ele, resolveu voltar à fala com um seu irmão, com quem andava desavindo[9] por causa da divisão de uma mata herdada, de modo a que um dos seus sete filhos, que tinha recentemente ficado aprovado no ano anterior no exame da 4.ª classe, se dispusesse a dar lições de ler e contar ao Luís. Ficou então combinado que o Zé Maria, assim se chamava o primo, subiria a serra todos os domingos à tarde para fazer as vezes da professora.

Luís já conhecia as letras todas do alfabeto, mas custava-lhe juntá-las em sílabas e produzir o som correspondente. Primeiro que lhe saísse uma palavra inteira da boca era um cabo dos trabalhos[10]. Além disso, Luís começou por essa altura a ver mal, e a luz na cozinha, sem janelas, era só a da lareira ou da candeia[11]. Zé Maria também não era muito bom pedagogo. Impacientava-se, gritava e ameaçava-o com a tenaz[12]. O pai ficava desesperado com aquilo, até que, um dia, disse ao sobrinho:

– Ó rapaz, pergunta lá ao teu pai quanto é que ele quer pelos livros da escola e vem cá trazer a resposta e levar o dinheiro. Depois, volta cá só no dia do meu funeral.

Assim foi. Luís passou a autodidata[13], com os livros de leitura e das tabuadas[14] do primo Zé Maria.

O pai, à noite, à luz da candeia, tentava ajudar. Abria o livro numa página qualquer e perguntava-lhe:

– Que letra é esta, Luís?

Luís, que era garoto e travesso[15], troçava do analfabetismo do pai:

– É um *turuluro*.

– E esta? – voltava a perguntar o pai.

– É um *luruturo*.

– Podes ir para a cama, Luís, que já sabes a lição.

Por vezes, Luís tinha a ajuda do carteiro, que o esclarecia sobre a translineação em consoantes dobradas[16] e coisas assim. Isto quando o homem aceitava entrar em casa para beber uma pinga[17], o que nem sempre acontecia.

Aos 17 anos, Luís lia como podia. Os óculos que entretanto passou a usar davam-lhe um ar mais sabedor.

Nesse mesmo ano em que fez 17, o rebanho foi atacado por uma doença que punha as ovelhas tolhidas[18] das pernas, acabando por morrer. Morreram 15 no espaço de um mês. A solução foi vender as que ainda caminhavam, antes

[11] **Candeia:**

[12] **Tenaz:**

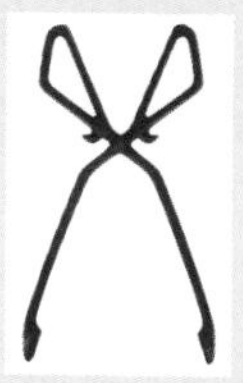

[13] **Autodidata:** pessoa que aprende por si próprio.

[14] **Tabuada:** livrinhos com as operações de multiplicar que os alunos têm de saber de cor.

[15] **Travesso:** que faz travessuras, diabruras, brincadeiras com um pouco de maldade.

[16] **Consoantes dobradas:** duas letras iguais que representam o mesmo som consonântico. (Exemplos: ***rr***, em *ca**rr**o*; ou ***ss*** em *so**ss**ego*).

[17] **Beber uma pinga:** beber vinho.

[18] **Tolhido:** entrevado, paralisado.

que morressem também, numa feira de gado afastada da aldeia, e rumar[19], pai e filho, ao Alentejo no fim do mês de maio, para as ceifas[20]. Apesar de a introdução de maquinaria nas grandes herdades[21] do Alentejo já ter começado por essa altura, os lavradores continuavam a contratar os «ratinhos», nome dado aos milhares de homens e rapazes que iam das Beiras trabalhar como ceifeiros nas herdades alentejanas. No rancho em que pai e filho calharam, de cerca de 150 pessoas, Luís era o único letrado e, por isso, após duas semanas, passou de ceifeiro a auxiliar de manajeiro[22] na vigilância do trabalho. Fazia também o registo dos pagamentos diferenciados, consoante a idade do ceifeiro, do peso de cereal colhido diariamente e de algum episódio anómalo. A ortografia e sintaxe com que escrevia era de tal forma torcida que o dono da herdade, que morava em Lisboa, quando lhe entregaram em mão os primeiros registos, perguntou:

– Quem é que está lá de escriturário? É galego?

Passado um par de anos, sensivelmente, Luís empregou-se como moço de recados[23] num armazém de tecidos na Covilhã[24]. Nas horas mortas, punha-se a ler as notícias do jornal local que o encarregado[25] comprava. Um dia, caiu na tentação de ler em voz alta a notícia de um acidente:

– Olhem o que diz aqui! «Homem colhido[26] por um toiro[27] de pinho transportado para o hospital a ganir».

– O quê, rapaz? Pode lá ser isso! – exclamou o encarregado. – Deixa cá ver o jornal.

Quando acabou de ler o título da notícia, o homem desatou a rir. O que lá estava escrito era: «Homem colhido por um toro[28] de pinheiro transportado para o Hospital de Arganil.» Foi a chacota[29] geral entre os empregados do armazém, apesar de nenhum deles saber ler, nem bem, nem mal. A partir

[19] **Rumar:** ir num rumo ou direção.

[20] **Ceifa:** colheita dos cereais.

[21] **Herdade:** grande extensão de terreno para semear cereais.

[22] **Manajeiro:** aquele que dirige o trabalho das ceifas.

[23] **Moço de recados:** rapaz que faz pequenos serviços fora das instalações da empresa.

[24] **Covilhã:** cidade do centro interior de Portugal que teve até à década de 1970 uma forte indústria de lanifícios.

[25] **Encarregado:** indivíduo responsável por um determinado serviço.

[26] **Colher:** Neste contexto: atingir.

[27] **Toiro (ou touro):** animal bovino do sexo masculino não castrado.

[28] **Toro:** tronco de árvore derrubada.

[29] **Chacota:** troça, escárnio.

desse dia, ficou-lhe a alcunha: era o Luís Toiros.

A autoestima de Luís não decresceu com este episódio. Nos dias em que calhava de pensar nisso, via-se como alguém de inteligência mediana – ou de inteligência suficiente para perceber que as pessoas que o rodeavam não tinham inteligência superior. Se lia e escrevia com dificuldade, era porque não tinha podido ir à escola enquanto era tempo e tudo o que tinha conseguido, ainda que nada de brilhante, devia-o, única e exclusivamente, ao seu mérito e esforço.

Foi a pensar assim que Luís chegou a presidente da Junta de Tortosendo. Prometeu o que os outros prometiam, chafarizes[30], calcetamento[31] de caminhos e outras pequenas empreitadas. Porém, foi mais além e juntou a estas promessas banais[32] o anúncio de implementação de uma estratégia nunca antes experimentada e que tinha em vista angariar financiamento para a Junta. Vai daí, aproveitava e atacava os presidentes anteriores pela imensa dívida acumulada.

Importa também dizer que Luís se tornou um homem bonito. Alto, forte e, ao mesmo tempo, de corpo delicado. O cabelo muito negro e crespo[33], as linhas de cada uma das faces a rematarem[34]-lhe no queixo em perfeita simetria, nariz e lábios divinamente desenhados. A última cartada, a Natureza jogou-a nos olhos: espertos, penetrantes e… azuis. Por detrás das lentes[35] graduadas dos óculos, pareciam ainda mais penetrantes, mais vivos, mais azuis. Diz-se que os poucos portugueses de olhos azuis que andam hoje por aí são de ascendência francesa, do tempo das invasões napoleónicas[36] –

[30] **Chafariz:**

[31] **Calcetamento:**

[32] **Banal:** comum, sem importância.

[33] **Crespo:** encrespado, eriçado.

[34] **Rematar:** fechar, unir dois pontos.

[35] **Lente:** cada um dos vidros dos óculos.

[36] **Invasões napoleónicas:** Napoleão ordenou a invasão de Portugal por três vezes: em 1807 (invasão liderada pelo general Junot); em 1809 (invasão liderada pelo general Soult); e em 1810 (invasão liderada pelo general Massena).

consequência de os soldados gastarem as horas mortas das batalhas a namorar moças pacóvias[37]. Mais francês, menos francês, o certo é que não se conhecia mulher em Tortosendo que não tivesse votado em Luís Toiros. Viúvas idosas incluídas.

Logo no primeiro mandato (ganhou cinco, seguidos), Luís mostrou ser um presidente inovador. Estimulou o negócio do queijo da Serra com o sistema de brindes, colocados aleatoriamente dentro de um certo número de queijos. Mediante protocolo com um supermercado local, cada brinde correspondia a um cabaz de compras[38]. Depois, criou um coro de cantares tradicionais que tinha grande sucesso na venda de cassetes pelas feiras. Comprou para a Junta, a bom preço, um descampado[39] que depois alugou a uma empresa de transportes de camiões TIR[40]. Estes e outros projetos de sucesso faziam crescer a freguesia em construção e em população. O facto de Luís ainda não se ter casado nem constituído família permitia-lhe dedicar-se a tempo inteiro à política.

[37] **Pacóvio:** que é considerado ignorante ou pouco inteligente.

[38] **Cabaz de compras:** conjunto de bens essenciais que são postos num cabaz. **Cabaz:**

[39] **Descampado:** campo extenso, sem cultivo, deserto.

[40] **TIR:** Transportes Internacionais Rodoviários.

[41] **Estar votado ao celibato:** estar destinado a viver sozinho, sem se casar.

[42] **Vareja:** ação de varejar (bater com uma vara) nos ramos das oliveiras, para a azeitona cair.

[43] **Chuva molha-tolos (expressão popular):** chuva pouco forte, que quase não se nota.

[44] **Costelas:**

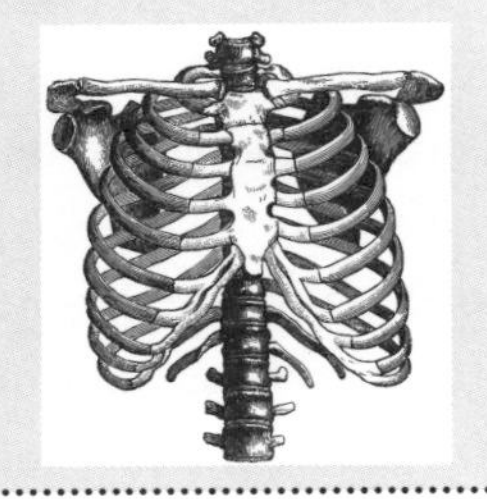

Mas Luís não estava votado ao celibato[41] e apaixonou-se. Foi num dia em que andava na vareja[42]. Caiu abaixo de uma oliveira numa tarde de «chuva molha-tolos»[43] e foi ao hospital da Covilhã tirar uma radiografia às costelas[44]. Quem o atendeu foi a Dra. Rita, uma jovem médica lisboeta, com cara de Virgem Maria. A partir desse dia, as visitas ao hospital eram dia sim, dia também[45]. Para os de Tortosendo, o diagnóstico estava feito: o presidente sofria de maleitas[46] de amor.

Infelizmente, ou porque não se quisesse ver atirada para os braços de um provinciano semianalfabeto, ainda que bonito e empreendedor, ou fosse pelo que fosse, aconteceu que a Dra. Rita pediu transferência, antes do tempo previsto, para uma cidade do litoral, e Luís nunca mais a viu. Andou abatido[47] durante uns tempos, emagreceu. Aos 34 anos viu cruamente, pela primeira vez, o modo como era visto.

Luís não cozinhava. Almoçava e jantava num pequeno restaurante de uma rua esconsa[48] e íngreme do centro da Covilhã. O abatimento do homem chamou a atenção da empregada de mesa, que fazia questão de pedir ao cozinheiro um arranjo mais aprimorado[49] da travessa do presidente.

Chamava-se Florinda. Casaram. Viveram uma felicidade tranquila. Tiveram duas filhas. A mais nova foi para Londres, com uma bolsa[50], para estudar Engenharia Molecular, a mais velha estudou Conservação e Restauro e anda agora pelas igrejas e conventos do país a compor azulejos rachados[51].

São a Irene Toiras[52] e a Madalena Toiras.

[45] **Dia sim, dia também:** forma alterada da expressão «dia sim, dia não», para intensificar o sentido desta, ou seja, para dizer que alguma coisa acontece de modo muito frequente.

[46] **Maleita (popular):** doença que não é muito grave.

[47] **Abatido:** desiludido e sem forças.

[48] **Esconso:** escondido, inclinado ou torto.

[49] **Aprimorado:** aperfeiçoado.

[50] **Bolsa (bolsa de estudo):** quantidade de dinheiro mensal que um estudante recebe do Estado ou de uma entidade privada para gastar nas despesas do seu curso.

[51] **Rachado:**

[52] **Toiros/Toiras:** nas aldeias, as alcunhas são atribuídas a todos os membros da família e, por vezes, é usada a variação no feminino.

Exercícios

Compreensão

1. Escolha a opção correta, de acordo com o sentido do texto.

1. Na infância de Luís, a escola era um espaço
   a) de aprendizagem muito exigente.
   b) de execução de tarefas repetitivas.
   c) de violência e castigos.
   d) de realização de exames.

2. O isolamento em que as professoras primárias viviam
   a) é a causa da violência com que tratavam os alunos.
   b) seria um dos fatores que determinavam o seu comportamento.
   c) tornava-as mais severas para com os alunos mais pobres.
   d) explica a razão de serem tão religiosas.

3. Verificamos que o pai de Luís se empenhava, na medida do possível, na educação do filho, pois
   a) acompanhava-o sempre pelas matas até casa.
   b) ensinava-lhe ele próprio as lições da escola.
   c) pedia frequentemente a ajuda do carteiro.
   d) esforçou-se por lhe arranjar uma alternativa à escola.

4. Agravava a dificuldade que Luís tinha em ler o facto de
   a) ser ameaçado pelo primo.
   b) o pai estar desesperado.
   c) precisar de óculos.
   d) querer ser autodidata.

5. Luís, enquanto trabalhou no Alentejo, fazia os registos porque
   a) era muito novo para fazer trabalhos pesados.
   b) foi confundido com um trabalhador galego.
   c) calhou num rancho ainda sem escriturário.
   d) era o único que sabia ler e escrever.

6. A alcunha «toiros» tem origem no facto de Luís
   a) ter lido mal a palavra «toro».
   b) ser visto como um total ignorante.
   c) ser perseverante como um toiro.
   d) ter estado numa região de toiros.

7. O facto de Luís ser um homem bonito contribuiu para
   a) que nunca perdesse a autoestima.
   b) contornar o seu analfabetismo.
   c) que fosse reeleito quatro vezes.
   d) a felicidade do seu casamento.

Vocabulário

2. Escolha a opção que pertence à colocação natural do segmento destacado a negrito.

a) Durante a sua infância, Luís não __________ (passava/sentia/sofria/ /enfrentava) **fome**, mas a sua alimentação era pouco rica e variada.

b) Luís tinha medo da professora, porque sabia que a sua vez de apanhar pancada ia chegar, __________ (com/de/a/na) **certeza absoluta**.

c) O pai de Luís resolveu __________ (dar/ter/fazer/pôr) **as pazes** com o seu irmão. Tudo para que Luís pudesse contar com a ajuda do primo Zé Maria nos estudos.

d) Apesar de não ter nenhum curso, Luís procurava __________ (fazer/ /aplicar/reservar/dar) **o seu melhor** em tudo o que fazia.

e) __________ (Faz/É/Fica/Passa) **parte** das campanhas eleitorais fazer promessas, e a de Luís Toiros não foi diferente nesse aspeto.

f) Muitos trabalhadores rurais _________ (têm/sofrem/fazem/correm) **riscos** desnecessários. Foi o caso de Luís, que teimou em subir a uma oliveira num dia de muita humidade.

g) Em Tortosendo, toda a gente _________ (fez de/tinha/deu/tomou) **conta** que Luís estava apaixonado pela médica.

h) Até conhecer Florinda, Luís Toiros nunca ia cedo para casa. Afinal, não tinha ninguém _________ (a/à/da/em) **sua espera**.

i) A filha de Luís Toiros teve excelentes notas no liceu e, assim que pôde, _________ (encheu/fez/fechou/preparou) **as malas** e partiu da aldeia.

Gramática

3. Preencha os espaços com os verbos «dever», «poder», «ter (de)» conjugados na pessoa, modo e tempo adequados.

a) As professoras primárias não _________ bater nos alunos. Para aprender, o aluno _________ ter a liberdade de explorar o que tem à sua volta e errar, sem penalizações.

b) Para se poderem casar, as professoras _________, obrigatoriamente, pedir autorização ao ministro da Educação Nacional.

c) O comportamento do pai de Luís, ao fazer as pazes com o irmão, é um ensinamento para todos nós, pois mostra que _________ saber superar os nossos ressentimentos para chegar a um objetivo comum.

d) Como é que o pai de Luís _________ adivinhar que o filho gozava com ele quando este lhe pedia para identificar as letras? O homem não sabia ler...

e) Depois da venda das ovelhas, pai e filho, para poderem sobreviver, _________ rumar ao Alentejo.

f) Luís tinha miopia e, a partir de determinada altura, _________ usar óculos.

g) Os *ratinhos*, alcunha depreciativa dada aos trabalhadores da Beira Alta que iam para as ceifas no Alentejo, tinham de trabalhar muitas horas ao sol, com temperaturas que _________ chegar aos 40 °C. Era uma vida muito dura.

h) Os colegas de Luís, no armazém, não _________ ter feito pouco dele por ler mal, pois eles nem sequer sabiam reconhecer as letras.

i) O espírito inovador de Luís enquanto presidente da Junta beneficiou muito Tortosendo. A Junta de Freguesia não __________ continuar a endividar-se, senão abria falência.

j) O episódio da queda da oliveira __________ ter marcado o início de uma nova fase na vida de Luís, mas os acontecimentos tomaram um rumo diferente, provavelmente melhor.

4. Reescreva as frases utilizando as palavras dadas.

NOTA: No caso em que há mais de uma palavra, elas devem ser usadas sequencialmente, isto é, sem outras palavras no meio.

a) Antigamente, quase nenhum aluno se podia gabar de nunca ter apanhado pancada.

raro

____

____

b) Luís conhecia todas as letras do alfabeto, mas não tinha fluência de leitura.

ainda que

____

____

c) Morreram 15 ovelhas do rebanho, tendo por isso o pai decidido vender as restantes.

morte

____

____

d) Nas aldeias, independentemente das habilitações que a pessoa venha a ter, ela será sempre tratada pela alcunha da família.

seja

____

____

Exibicionismos[1] (ou três anedotas com uma longa introdução teórica)

O que é que se passa na cabeça de um exibicionista? Aparentemente, a convicção[2] de que tem mais valor do que os outros. No entanto, esse valor não é, aos olhos do exibicionista, um valor absoluto. Ele só existe na proporcional medida em que é reconhecido e reverenciado[3] por toda a gente. Deste modo, a exibição de bens materiais, de um estatuto académico, de um saber-fazer, de viagens realizadas, etc. é o único meio de que o exibicionista dispõe para se certificar, perante si próprio, de que é superior aos outros. O comum dos mortais trabalha para ser bem-sucedido[4] e beneficiar do sucesso atingido. O exibicionista trabalha para mostrar sucesso. Toda a sua energia, que decorre de um impulso intenso para a ostentação[5], está posta não em realizar tarefas e cumprir objetivos, mas em angariar sinais exteriores de riqueza, sucesso, estatuto ou inteligência.

[1] **Exibicionismo:** desejo de atrair a atenção sobre si próprio.

[2] **Convicção:** certeza de uma coisa para a qual não temos provas factuais.

[3] **Reverenciar:** admirar muito, venerar.

[4] **Bem-sucedido:** que tem sucesso ou êxito.

[5] **Ostentação:** ato de ostentar, mostrar com aparato.

[6] **Extrovertido:** pessoa sociável e desinibida.

[7] **Cedência:** ato de desistir de uma coisa para garantir um acordo com outra pessoa.

[8] **Compassivo:** que tem compaixão, bondoso.

[9] **Empático:** aquele que é capaz de se identificar com outra pessoa.

[10] **Liminarmente:** de forma total e absoluta.

O exibicionista é extrovertido[6] e simultaneamente inseguro, sofrendo frequentemente de baixa autoestima. Pior ainda, é um ser que vive quase sempre em profunda solidão, ainda que tenha uma vida social muito ativa. A necessidade de constantemente dar nas vistas torna-o incapaz de estabelecer laços de afeto e de lealdade com qualquer outra pessoa. Uma relação humana normal exige saber fazer cedências[7], saber ouvir, ser compassivo[8] e empático[9] – tudo coisas que o narcisismo e egocentrismo do exibicionista bloqueiam liminarmente[10].

Há paralelos entre o comportamento do exibicionista e o de certas espécies do mundo animal. É curioso verificar, por exemplo, o comportamento das aves-do-paraíso[11]. O macho, com toda a sua plumagem[12] de cores exuberantes[13] e longa cauda[14], faz um grande investimento no ritual de acasalamento[15], exibindo-se em danças estilizadas[16]. Porém, depois de acasalar, abandona a fêmea e volta à sua condição de solteiro, ficando ela com todo o fardo de criar os filhotes. Nas espécies em que o macho apresenta uma plumagem mais vulgar, os cuidados parentais[17] são partilhados.

É claro que no caso dos humanos o isolamento pode muito bem explicar-se do ponto de vista social, atendendo a que nem sempre o exibicionista encontra público, ou seja, pessoas com paciência para participar numa conversa em que o outro a todo o momento se gaba[18] do que tem e do que fez.

Além deste exibicionismo congénito[19] e compulsivo[20], há a considerar também o exibicionismo estratégico, isto é, aquele que é conscientemente posto em prática para se conseguir mais oportunidades na vida. Neste âmbito, a proliferação de exibicionistas difere de comunidade para comunidade. Em sociedades em que há mobilidade social ou, pelo menos, em que é fácil alargar o espectro de relações sociais e, a partir daí, prosperar[21], seja em prestígio, seja em dinheiro, o exibicionismo compensa e dá resultados. Neste contexto, há sempre público para o exibicionista e os próprios elementos desse público são exibicionistas também. Instala-se a chamada «feira das vaidades». Em contrapartida, em sociedades em que há

[11] **Ave-do-paraíso:**

[12] **Plumagem:** conjunto de penas de uma ave.

[13] **Exuberante:** deslumbrante, esplêndido.

[14] **Cauda:**

[15] **Acasalamento:** união de macho e fêmea para procriação.

[16] **Estilizado:** realizado para produzir um efeito estético.

[17] **Parental:** relativo a pai e a mãe.

[18] **Gabar-se:** elogiar-se a si próprio.

[19] **Congénito:** que foi gerado ou que nasceu com a pessoa.

[20] **Compulsivo:** que leva à repetição de um ato, independentemente da vontade da pessoa que o realiza.

[21] **Prosperar:** progredir, enriquecer.

poucas oportunidades de estabelecer novos contactos pessoais e em que as relações sociais e profissionais são fixas ou dificilmente substituíveis, o exibicionista é severamente desprezado.

É justamente o que acontece nas comunidades rurais em Portugal. Aqui, de norte a sul do país, são administrados dois fortes antídotos contra o exibicionismo. Um é distribuído sob a forma de sermões nas homilias[22] que o senhor padre debita[23] todos os domingos de manhã, a que se juntam as lições das catequistas[24]. Nestes ensinamentos, a apologia da modéstia, da humildade e do despojamento[25], de que o nascimento e vida de Cristo é divino exemplo, são persistentemente incutidos[26], domingo após domingo.

[22] **Homilia:** mensagem doutrinária dita pelo sacerdote durante a missa.

[23] **Debitar:** Neste contexto: falar durante muito tempo, cansando os ouvintes.

[24] **Catequista:** pessoa que ensina uma doutrina religiosa.

[25] **Despojamento:** ato de renunciar à posse de alguma cosia.

[26] **Incutir:** introduzir alguma coisa (uma ideia, um valor) na mente de alguém.

[27] **Seio da família:** ambiente familiar.

[28] **Abastado:** rico.

[29] **Chancas:** espécie de botas de atacadores, com sola de madeira, que as pessoas pobres das aldeias usavam.

O outro antídoto, talvez mais potente, é a exposição ao ridículo. Sempre que alguém se gaba em público, ou até no próprio seio da família[27], há de haver sempre alguém que põe um esgar de escárnio e começa:

– És tu e o outro que…

O *outro* é a personagem de uma historieta em que o gabarolas é alvo de chacota.

Seguem-se abaixo três exemplos.

História 1

Era uma vez dois amigos, um abastado[28] e outro muito pobre. O mais pobre, um dia, quis ir a um funeral, mas não tinha sapatos, só chancas[29]. Não podia aparecer num funeral de chancas. Foi então pedir ao amigo abastado que lhe emprestasse alguma outra coisa para calçar. O amigo também tencionava ir a esse funeral, mas como, felizmente, tinha muitos pares de sapatos, dispensou prontamente um dos seus ao amigo.

Chegado o dia, no decurso do cortejo fúnebre para o cemitério, o amigo abastado não se calava e dizia alto e em bom som, de modo a que todos o ouvissem:

– Cuidado, rapaz, olha esse buraco! Esses sapatos custaram-me muito dinheiro. São de cabedal[30]. Vê lá essa poça[31], não mos[32] molhes. Toma atenção às pedras do caminho, não vão os *meus* sapatos ficar todos esmurrados[33]!

Toda a gente no funeral ficou a saber que o outro levava os sapatos emprestados.

Na hora de devolver os sapatos, o amigo pobre agradeceu, mas fez o reparo:

– Não precisavas de estar sempre a avisar-me para ter cuidado com os sapatos. Toda a gente ficou a saber que os sapatos eram teus e eu fiquei envergonhado.

O outro respondeu:

– Está descansado que para a próxima vai ser diferente.

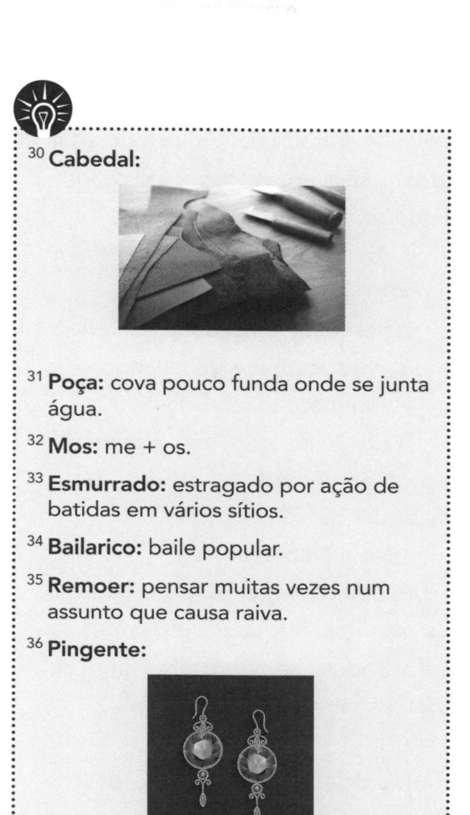

[30] **Cabedal:**

[31] **Poça:** cova pouco funda onde se junta água.

[32] **Mos:** me + os.

[33] **Esmurrado:** estragado por ação de batidas em vários sítios.

[34] **Bailarico:** baile popular.

[35] **Remoer:** pensar muitas vezes num assunto que causa raiva.

[36] **Pingente:**

Passado algum tempo, os dois amigos foram convidados para um casamento. Como o amigo pobre permaneceu pobre, viu-se outra vez na necessidade de ir pedir os sapatos emprestados ao amigo rico.

Durante o bailarico[34] da boda, o amigo rico não se cansava de repetir em voz alta:

– Dança à vontade! Eu não me importo que me estragues os sapatos! O calçado é para ser usado. Se as moças te pisarem, não tem mal, os sapatos são de cabedal e duram a vida de um homem. Anda! Vai! Está à vontade!

E novamente o amigo pobre remoeu[35] a humilhação a que a pobreza o obrigara: a de ter de suportar com resignação o exibicionismo de um gabarolas.

História 2

Era uma vez três irmãs que saíram à rua numa manhã de domingo para ir à missa. Uma levava uns pingentes[36] novos, outra, uns sapatos novos, outra, um anel novo. À entrada da igreja, a do anel grita, esticando o dedo indicador[37] onde tinha colocado a joia:

– Ai, manas, olhai[38] acolá[39]! Um bicho[40]!

A dos sapatos responde, esticando o pé, sofisticadamente calçado:

– Vou matá-lo já!

A dos brincos atalhou, abanando exageradamente a cabeça para fazer dançar os pingentes:

– Não! Não! Não!

E assim ninguém pôde deixar de reparar o quão[41] elegantes e sofisticadas se apresentavam as três manas naquele domingo.

História 3

Um homem ia a passar no centro da aldeia com o seu carro de bois cheio de estrume[42] para a horta. Um aldeão, a fumar à entrada da taberna, reparou que na estaca[43] do lado esquerdo do carro ia pendurado um corno[44] e perguntou:

– Ó compadre[45], para que é esse corno?

– É para levar óleo para botar[46] no eixo quando fica perro[47] – respondeu o dono do carro de bois.

– Ah, foi muito boa ideia usar o corno, compadre – elogiou o aldeão.

– Saiu daqui, amigo, saiu daqui… – revelou orgulhosamente o do carro de bois, apontado com o dedo indicador para a sua própria testa.

[37] **Dedo indicador:**

[38] **Olhai:** verbo «olhar» na 2.ª pessoa do plural, Imperativo. Esta forma é usada no Norte de Portugal, mas está a cair em desuso no resto do país.

[39] **Acolá:** além.

[40] **Bicho:** animal, inseto.

[41] **Quão:** quanto.

[42] **Estrume:** mistura de fezes de animal com palha, que serve para adubar (enriquecer) as terras.

[43] **Estaca:**

[44] **Cornos:**

[45] **Compadre:** forma de tratamento entre amigos, nas aldeias.

[46] **Botar (popular):** pôr.

[47] **Perro:** que não desliza.

Exercícios

Compreensão

1. Coloque os tópicos abaixo pela ordem por que são referidos na introdução do conto (sete primeiros parágrafos). Escreva o número de ordem à frente de cada frase.

☐ a) O exibicionista, apesar de socializar muito, está relegado ao seu isolamento.

☐ b) Não é tanto o exibicionista que intencionalmente rejeita estabelecer laços de amizade com outras pessoas, mas são as pessoas que se desligam dele por terem dificuldade em suportá-lo.

☐ c) Nas aldeias portuguesas, o exibicionismo é fortemente sancionado pela religião e pelo riso.

☐ d) Não há um só tipo de exibicionismo.

☐ e) Curiosamente, as ações levadas a cabo pelo exibicionista não revertem em seu benefício. O retorno que o exibicionista tira de todas as suas ações resume-se unicamente em poder ostentar os seus resultados.

☐ f) Na mente do exibicionista, o seu valor só pode ser medido em termos relativos.

☐ g) Os pássaros mais vistosos são os que não participam na criação dos filhotes, facto que pode permitir uma comparação entre os animais e os homens.

☐ h) A possibilidade de ascender socialmente está em correlação com o tipo de exibicionismo.

☐ i) A constante compulsão para ser o foco das atenções impede o exibicionista de estabelecer pontes de intimidade com outras pessoas.

2. Estabeleça a correspondência de cada item da coluna A com dois itens da coluna B.

Coluna A	Coluna B
1. O amigo pobre ☐ ☐	**A** hesitou em pedir ao amigo os sapatos pela segunda vez.
	B nunca recusou ceder os sapatos, mas essa atitude não foi totalmente desinteressada.
	C tinha a expectativa de enriquecer no período que vai do funeral ao casamento.
	D revelou insistentemente, perante toda a gente, o empréstimo dos sapatos.
2. O amigo rico ☐ ☐	**E** ficou envergonhado por todos ficarem a saber que os sapatos não eram dele.
	F fez questão de mostrar que os sapatos de cabedal emprestados eram da mesma qualidade dos que ele trazia calçados.
	G prometeu que nunca mais ia revelar quem era o verdadeiro proprietário dos sapatos.
	H queixou-se ao amigo rico por este ter repetidamente divulgado que lhe tinha emprestado os sapatos.

3. Escolha a opção correta, de acordo com o sentido do texto.

1. As três irmãs
   a) disputavam entre si qual era aquela que dava mais nas vistas.
   b) exibiam joias, roupa e queriam mostrar a sua elegância física.
   c) encenaram um diálogo para poderem mostrar o que cada uma tinha.
   d) frequentavam a missa todos os domingos e preocupavam-se com os animais.

2. A terceira história é a única em que o protagonista
   a) não tem nada para exibir.
   b) gaba-se da sua suposta inteligência.
   c) se debate com outro exibicionista.
   d) sugeriu, através do gesto, que o outro era maluco.

4. Complete o crucigrama.

Horizontal	Vertical
2. ensinar, fazer sentir ou pensar de determinada maneira	1. total e completamente
7. pele de animal curtida	3. não conseguir tirar um pensamento problemático da cabeça
8. enriquecer, progredir	4. falar de modo automático e monótono
9. rabo, parte de trás de alguns animais	5. com dinheiro
10. ato de abdicar de ter algo	6. fazer elogios

Gramática

5. Complete os espaços com as palavras dadas.

NOTA: Há três palavras a mais. Não vai precisar delas.

qualquer	ninguém	todo	aquilo
cada	aquele	tudo	nenhum(a)

(1) _________ o que o exibicionista quer na vida é mostrar o quão inteligente, sensível e rico é. (2) _________ pessoa de bom senso desdenha o exibicionista e não dá o mínimo crédito às suas gabarolices. Porém, é importante levar a sério o exibicionismo porque este fenómeno representa uma regressão cultural, uma vez que (3) _________ um dos membros de uma sociedade exibicionista está empenhado não no bem comum, mas em alimentar a sua vaidade individual. Nenhuma civilização pode resistir a isto.

Por outro lado, o exibicionista estimula muitas vezes sentimentos negativos nos outros. Ele quer provocar inveja. No entanto, se (4) _________ reagir à ostentação do exibicionista, ele deixa de ter público que o aplauda e talvez consiga assim dominar a sua obsessão de se mostrar a toda a hora como o melhor do mundo.

Mas é claro que isto é uma quimera. Há de sempre haver exibicionistas no mundo e (5) _________ que é avesso ao exibicionismo tem de manter em mente que no dia a dia ele não lida com pessoas que atuam segundo a lógica e a razão, mas com criaturas motivadas pelo narcisismo e vaidade.

Pianíssimo

Enquanto lhe preparavam a cicuta, Sócrates pôs-se a aprender uma ária na flauta. «Para que te servirá?», perguntaram-lhe. «Para saber esta ária antes de morrer.»

[1] **Vago:** vazio, sem ninguém.
[2] **Algaraviada:** linguagem confusa.
[3] **Cacofonia:** repetição de sons desagradáveis.
[4] **Forrar:** cobrir com tecido, papel ou outro material.
[5] **Chinfrineira (ou chinfrim):** barulho ou confusão de vozes.
[6] **Espectro:** conjunto de ondas de som.
[7] **Martelar:** bater com martelo.
[8] **Miscelânea:** coleção de coisas diferentes.

Eram nove da noite e a marisqueira *Sai de Gatas* já só tinha uma ou duas mesas vagas[1]. Belmiro saiu do seu quartinho alugado para pegar ao trabalho às 22h. Demorava quase uma hora a lá chegar porque morava na outra ponta da cidade. Jantava, como habitualmente, na marisqueira. Fazia parte do contrato.

Noite após noite, sentia um desconforto agudo no momento em que se dirigia ao piano de parede desafinado para mais um café-concerto – ou uma imitação disso. Havia a algaraviada[2] constante dos clientes, os risos repentinos e alarves, a cacofonia[3] dos pratos e copos – tudo amplificado pelos azulejos que forravam[4] a sala de jantar, de cima a baixo, e mais os aquários de lagostas a borbulhar junto às portadas que davam para a rua. O barulho doía-lhe como se lhe estivessem a perfurar o cérebro. Com aquela chinfrineira[5] não ia conseguir tocar o que quer que fosse, pensava sempre. Mas depois, como que por milagre, o espectro[6] de ruído da sala de jantar era subitamente projetado para um plano de fundo, muito distante da sua sensibilidade sonora e ficava só o compósito harmonioso das notas bem marteladas[7]. Tocava miscelâneas[8] de excertos que sabia serem mais populares e, sobretudo, com muitos fortes e fortíssimos: a *Alla Turca*, a *Humoresque*, a *Rhapsody in Blue*, as Rapsódias Húngaras, etc.

Belmiro não era um pianista falhado. É certo que tinha começado a estudar piano apenas aos 11 anos. Depois de ter passado pela esgrima, xadrez e equitação[9], o piano foi a terapia que, finalmente, teve em Belmiro resultados impressionantes.

Belmiro, em pequeno, tinha problemas graves de concentração e falava sozinho, o que assustava as pessoas. Na escola, a Matemática era um pesadelo. Treslia[10] os problemas, trocava os algarismos no registo dos valores, não sabia a tabuada salteada, só por ordem, e baralhava-se nos termos matemáticos. A línguas não era melhor. Escrevia com muitos erros e tinha uma caligrafia péssima. Diziam que era por ser canhoto. Foi sempre franzino porque, em dado momento, passou a ser intolerante à lactose[11], mas até que lhe diagnosticassem essa intolerância, andou muitos anos nauseado[12] e a vomitar. Era um desastre a jogar futebol – ou andebol, ou basquetebol –, e o professor de Educação Física tinha sempre de obrigar os colegas a aceitaram-no numa das equipas, o que era ainda uma humilhação maior do que a de ser deixado de lado. A agravar todos estes fatores, já de si gravosos, estava o facto de Belmiro não ser católico. Nunca tinha sido batizado e não frequentava as aulas de Educação Moral e Religiosa Católica. Isto porque o seu avô paterno tinha estado emigrado nos EUA, em Nova Iorque, onde montou uma barbearia[13] e, apesar de ter estado lá poucos meses, porque foi no tempo da Grande Depressão e o negócio não prosperou, trouxe de lá importada a doutrina da Igreja Anglicana, a que toda a sua família aderiu, assim como as gerações seguintes – e, possivelmente, as futuras.

A fragilidade física, a inépcia[14] desportiva, a alienação[15] nas aulas e as notas negativas faziam de Belmiro um zero à esquerda[16]. O pai, em face da total inadaptação do filho na escola, concluiu que ele era um génio. Afinal, era essa a ideia que frequentemente aparecia veiculada na comunicação social, a

[9] **Equitação:** atividade de montar a cavalo por prazer, exercício ou para participar em competições.

[10] **Tresler:** ler qualquer coisa mal.

[11] **Lactose:** um tipo de açúcar que está presente no leite.

[12] **Nauseado:** enjoado, com vontade de vomitar.

[13] **Barbearia:**

[14] **Inépcia:** falta de jeito ou capacidade para fazer uma coisa.

[15] **Alienação:** afastamento da realidade à nossa volta.

[16] **Um zero à esquerda:** pessoa que não é capaz de fazer coisa nenhuma.

de que as notas que um aluno tira na escola não refletem o seu QI[17] e que há vários estilos de aprendizagem e vários tipos de inteligência, etc.

E foi justamente na busca de uma inteligência alternativa para o seu filho que o pai o fez encontrar-se com o piano, por aconselhamento do psicólogo, depois de tentadas várias outras terapias ocupacionais. Aconteceu então que, após duas ou três semanas de aulas particulares, a professora de piano veio dizer ao pai que devia inscrever o filho no Conservatório o mais depressa possível, tão promissor[18] tinha sido o seu breve desempenho inicial. A alegria do pai por essa altura não podia ser descrita em palavras. Passou noites a dormir mal. Pode-se dormir mal por golpe súbito[19] de felicidade.

[17] **QI:** quociente de inteligência.

[18] **Promissor:** que se prevê vir a ter sucesso.

[19] **Golpe súbito:** acidente de saúde que acontece de repente e inesperadamente.

[20] **Gabarito:** categoria, nível, valor.

[21] **Imaculado:** sem defeito.

[22] **Lirismo:** emoção elevada, mas suave.

[23] **Postular:** demonstrar alguma coisa numa situação oficial.

[24] **Perplexidade:** espanto.

E assim foi. Belmiro fez o 8.° grau de piano e depois seguiu para a Escola Superior de Música, onde tinha um professor de grande gabarito[20] internacional. Estudava, por essa altura, seis horas por dia. Conseguia ler fluentemente, à primeira vista, uma partitura complexa.

Aos 22 anos, Belmiro distinguia-se pela precisão técnica e interpretação imaculada[21]. No entanto, não conseguiu nunca o primeiro prémio nos concursos internacionais mais importantes. Ganhou duas vezes o terceiro prémio, e três, o segundo. A maioria das vezes, não ganhou nenhum. Os membros do júri dos concursos sugeriam frequentemente que ele tinha uma boa técnica, mas pouco lirismo[22]. Faltavam-lhe tensão emotiva, pureza, profundidade, diziam. Faltava-lhe confiança, também. A confiança que lhe permitisse arriscar e pôr no que estava a tocar a sua interpretação pessoal, postulavam[23].

Belmiro não compreendia o que lhe estavam a pedir. E com razão. Até ao momento, ele nunca sentira que tinha falta de confiança. A sua falta de confiança veio depois de lhe dizerem que tinha falta de confiança. E lirismo? Bom, quem ouvisse Belmiro com muita atenção comungaria da sua perplexidade[24] perante o mundo, da sua imensa ternura, mas também da sua ferocidade[25]; partilharia com ele o seu isolamento ou, então, a alegria explosiva de uma manhã de sol, que, por uma fração de segundo, rouba uma recordação furtiva[26] ao limbo[27] da felicidade suspensa da infância... Mas, enfim, Belmiro interiorizou que precisaria de superar qualquer coisa de insuperável para ser um bom pianista. Não sem ressentimento[28], mas com resignação.

Em abono da verdade[29], Belmiro era um excelente pianista. Não era excecional, mas era muito bom. O que se passa agora com os concursos é que os primeiros prémios vão frequentemente para pianistas chineses. Segundo fontes por confirmar, a China produz anualmente 40 milhões de pianistas. Supondo que apenas 1% deles virá a ser um pianista brilhante, temos a módica quantia[30] de 400 mil virtuosos por ano. A superioridade numérica é imbatível[31].

[25] **Ferocidade:** qualidade daquele que é feroz, cruel, violento.

[26] **Furtivo:** de que não se dá conta facilmente.

[27] **Limbo:** esquecimento.

[28] **Ressentimento:** lembrança dolorosa de uma ofensa de que se foi vítima.

[29] **Em abono da verdade:** expressão usada para anunciar que o que se vai dizer é absolutamente verdade.

[30] **Módica quantia (irónico):** pequena quantidade.

[31] **Imbatível:** que não se pode bater ou ultrapassar.

O pai de Belmiro, que nunca deixou de ver no filho um prodígio, independentemente do resultado dos concursos, ofereceu-se para lhe pagar as despesas de um mestrado em piano, em Berlim, mas Belmiro, por essa altura, já tinha desistido da carreira de pianista.

Nunca iria, porém, deixar de tocar – afinal, não sabia fazer mais nada na vida. Tentou um emprego de professor de piano na escola de música *Os Rouxinóis do Choupal*, mas irritava-se descontroladamente e gritava com os alunos que não estudavam, até que os pais dos meninos, indignadíssimos, fizeram queixa dele ao coordenador pedagógico e Belmiro foi despedido.

Passado algum tempo é que surgiu a oportunidade de tocar na marisqueira. Entretanto, Belmiro passou também a tocar em casamentos e batizados e, ocasionalmente, em celebrações patrocinadas pela Câmara Municipal. Isso permitiu-lhe sair de casa dos pais e alugar um quarto nos subúrbios da cidade. Durante o dia praticava no piano de cauda[32] do Conservatório, por especial favor do diretor.

Ei-lo, então, no *Sai de Gatas*. Toca, desta vez, as *Czardas*. A seguir vai tocar a *Habanera*. Os comensais vão aplaudir efusivamente no final. Alguns aproximam-se para ver melhor os dedos a correrem nas teclas e as manobras dos pés nos pedais. Posam os copos de cerveja em cima do piano e a cerveja faz uma espuma[33] fina com a vibração impercetível[34] na base.

É neste dia que se dá[35] o ponto de viragem na vida de Belmiro. Um ponto de viragem pelo qual Belmiro inconscientemente sempre esperou.

No fim da noite, já só quando dois ou três clientes com os olhos semicerrados[36] e fala arrastada murmuravam qualquer coisa no canto da sala, veio ter com Belmiro um homem de meia-idade, vestido com aprumo[37]. A primeira abordagem[38] não foi fácil. O senhor apresentou-se, era o Sr. Constantino Matoso, e propôs beberem uma cerveja. Belmiro recusou de imediato, com alguma rispidez[39] até. Estava particularmente cansado. *Desalentado* será a melhor palavra para descrever o seu estado de espírito. Dias antes, Matias, o gerente do *Sai de Gatas*, tinha começado com a conversa de que «o seu ilustre pianista» devia também tocar uns fadinhos. O fado tinha sido há pouco tempo reconhecido como Património Cultural Imaterial da Humanidade pela UNESCO e agora não havia

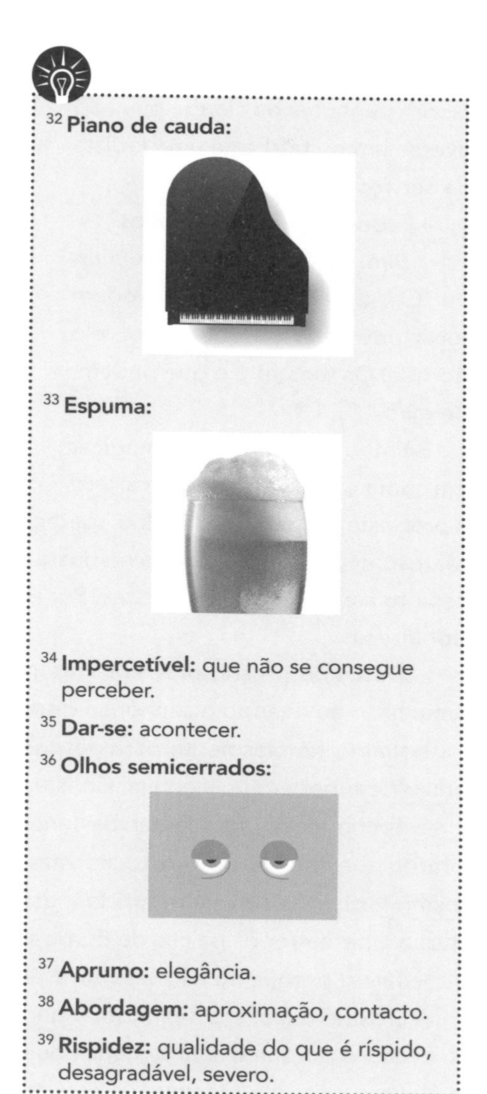

[32] **Piano de cauda:**

[33] **Espuma:**

[34] **Impercetível:** que não se consegue perceber.

[35] **Dar-se:** acontecer.

[36] **Olhos semicerrados:**

[37] **Aprumo:** elegância.

[38] **Abordagem:** aproximação, contacto.

[39] **Rispidez:** qualidade do que é ríspido, desagradável, severo.

tasca[40] nenhuma da cidade que não tivesse um guitarrista e uma fadista de serviço.

– Fado em piano, Sr. Matias?

– Sim. *A Casa da Mariquinhas* ou *Os Caracóis* não se podem tocar em piano porquê? Não vejo porquê! Os turistas é o que pedem, Belmiro.

Belmiro continuava a magicar em como é que havia de descartar[41] a proposta do patrão e não lhe apetecia falar com ninguém, mas Constantino Matoso não se retraiu com a resposta seca de Belmiro, pois conhecia bem o espírito caprichoso[42] dos artistas. Por isso, voltou à carga[43], pedindo desculpa por insistir:

– Desculpe insistir, mas era importante que pudéssemos falar. Hoje ou amanhã... ou quando o senhor se dispuser.

Belmiro, simplesmente para despachar o homem e não pensar mais nele, anuiu[44] em beber a tal cerveja. Constantino Matoso começou, então:

– Tenho vindo aqui jantar bastantes vezes, por causa, naturalmente, do prazer que me dá ouvi-lo tocar, mas também porque me intriga que um exímio[45] pianista se veja reduzido a esta vida de *entertainer*, em vez de estar mas é a percorrer os palcos da Europa.

– Talvez porque eu não seja um pianista, realmente.

– Do que ouço, é um pianista e peras[46].

– Isso é porque o senhor nunca ouviu melhor. Acontece a muitos.

– Uma coisa lhe asseguro, já ouvi muita nota na minha vida. O meu pai era professor de piano. Hilário Matoso, meu avô, era pianista.

Constantino aguardou alguns segundos, à espera de alguma reação de Belmiro, o que não aconteceu. Constantino continuou:

– Hilário Cabreira Matoso...?

Constantino não viu nenhuma expressão na cara de Belmiro que deixasse perceber que este sabia quem tinha sido o seu avô e prosseguiu:

– Eu...

– O senhor é pianista – rematou Belmiro.

[40] **Tasca:** estabelecimento onde se serve vinho e refeições ligeiras e baratas.

[41] **Descartar:** rejeitar.

[42] **Caprichoso:** extravagante.

[43] **Voltar à carga (expressão idiomática):** insistir.

[44] **Anuir:** concordar, consentir.

[45] **Exímio:** excelente, muito hábil.

[46] **(Ser algo) e peras (expressão idiomática):** ser muito bom a fazer algo.

– Não. Eu sou vendedor de pianos – disse Constantino.

Belmiro abriu subitamente os dedos das mãos e deixou-os cair na mesa, num claro gesto de impaciência:

– Ah, eu não estou em condições de comprar um piano, obrigado – atirou[47] Belmiro e ia já a levantar-se.

–Desculpe!–atalhou firmemente Constantino Matoso. – Eu também não estou aqui para lhe vender nenhum piano. Peço-lhe apenas que me ouça durante alguns minutos.

Belmiro assentiu[48], mais uma vez.

– Sou vendedor e afinador de pianos. Comecei a estudar piano aos 5 anos. Desisti aos 17. As aulas com o professor corriam bastante bem e eu estudava afincadamente, mas quando chegava às audições[49], era uma completa desgraça. Todo o meu corpo tremia e a minha memória bloqueava. Mesmo quando me deixavam levar a partitura, chegava a um ponto da peça em que nem para trás, nem para a frente. Entrava em pânico total. Quando tentava recomeçar, parava logo a seguir. Incapaz de encarar a audiência, fixava a partitura em estado de absoluto torpor[50]. Os meus colegas puseram-me a alcunha de o *comatoso*[51] – Constantino Matoso fez uma pausa. – É um acrónimo[52] do meu nome.

– Sim…

– Os meus pais, que começaram por convidar os amigos para me irem ver às audições, ficavam muito envergonhados.

– Não seria vergonha. Provavelmente era apenas alguma perplexidade. Estavam à espera de que o filho tocasse pelo menos tão bem como tocava em casa… – sugeriu Belmiro, em jeito de consolação desajeitada.

– Pode ser. Mas também pode ser que fosse vergonha. Fosse o que fosse. Os meus pais acabaram por insinuar[53] que talvez eu não tivesse assim tanto jeito para o piano e eu larguei aquilo tudo.

[47] **Atirar:** Neste contexto: responder através de uma frase curta e rápida.

[48] **Assentir:** concordar.

[49] **Audição:** breve atuação de um estudante de instrumento ou de canto, com o objetivo de ser avaliado.

[50] **Torpor:** estado de diminuição de movimento, falta de energia, adormecimento.

[51] **Comatoso:** que está em estado de coma (estado de inconsciência).

[52] **Acrónimo:** combinação de letras ou sílabas de um grupo de palavras.

[53] **Insinuar:** introduzir lentamente uma ideia na mente de alguém.

– Está arrependido?

– Estou. Devia ter acabado o curso superior de piano, pelo menos. Mesmo sem audições. Metia atestado médico, sei lá, qualquer coisa, mas devia ter continuado a estudar piano. Devia mesmo.

Belmiro não disse nada. Constantino continuou:

[54] **Laureado:** pessoa que, num concurso, recebeu um prémio.

[55] **Desiludir:** tirar a ilusão a alguém, dececionar.

[56] **Instigar:** incitar, estimular.

[57] **Agonizante:** que causa agonia, sofrimento, aflição.

[58] **Mortificar-se:** torturar-se, atormentar-se.

[59] **Arpejo:** execução das notas de um acorde (3 ou mais notas).

– Hoje, toco regularmente. Vou para a minha loja, de manhã muito cedo, e toco. A minha loja fica na Baixa, na rua dos Laureados[54] – irónico, não é? É uma zona comercial, posso lá tocar à vontade, às horas que quiser. Veja bem o senhor, passados 30 anos, retomei o estudo do piano!

– Mas não é um pouco tarde? Desculpe se o desiludo[55], mas com essa idade nunca conseguirá tocar uma peça com a mínima qualidade de execução, por mais simples que seja. O cérebro perdeu elasticidade. Os dedos também – observou Belmiro.

– Talvez. Mas eu não me estou a preparar para nenhum concerto e, portanto posso levar o tempo que eu quiser. É esse desafio que me instiga[56] a estudar. É um desafio agonizante[57]. Talvez por isso seja para mim tão atraente. Estou há um ano a estudar a *Balada n.º 1* de Chopin.

– Uii! Mas Chopin é uma alma difícil de compreender! É uma paixão inatingível. E essa balada é das mais difíceis! Eu... eu nunca toco Chopin. Com audiência, quero dizer. Para tocar Chopin – os outros também, mas Chopin particularmente – não basta a técnica. É preciso lirismo e tensão emotiva – sentenciou Belmiro.

– Por isso me mortifico[58]. Sei como a música deve soar e sei que o que eu toco é outra coisa completamente diferente! Mas não desisto de estudá-la. Vou estudá-la até morrer!

– Tem de imprimir vigor na cena final, que é quando a mão direita se torna extremamente difícil de fazer e a mão esquerda tem grande tendência a falhar notas. Tem de praticar muito as oitavas, os arpejos[59] da mão esquerda, os contrarritmos. Mas se se esquecer da musicalidade, da mensagem musical que está a ser desenvolvida, toda essa técnica fica reduzida a uma espécie de malabarismo[60], a uma proeza[61] de trapezista[62] de circo.

– Eu sabia que não me ia enganar a seu respeito.

– Como?

– Tenho uma coisa, se calhar duas, para lhe pedir. Mas, antes, quero que compreenda. A mim, o que me leva a praticar piano é o prazer de praticar e pronto. Estou um homem diferente depois de voltar a tocar, acredite. Mais otimista, mais confiante, mais concentrado durante o dia nas tarefas da loja. Como é que hei de explicar... coração ao alto![63] Mais distanciado das ridicularias[64] do dia a dia. Mesmo lá em casa. As coisas com a minha mulher não andam bem. Sabe como é... As discussões são cada vez mais frequentes, as tréguas[65] cada vez mais espaçadas[66]...

– Desculpe, mas não percebo bem o que pretende de mim – atalhou Belmiro, desconfortável com o tom confessional[67] do outro. – Não me leve a mal, percebo muito bem esse efeito balsâmico[68] que o piano lhe traz, percebo isso muito bem até. Mas é quase uma da manhã e preciso de ir descansar...

Constantino achou então melhor atalhar caminho na conversa.

– Eu vinha-lhe pedir que me ajudasse, que me orientasse no meu estudo do piano.

[60] **Malabarismo:**

[61] **Proeza:** feito extraordinário.

[62] **Trapezista:**

[63] **Corações ao alto:** expressão usada pelo padre na missa para reanimar o espírito das pessoas quando há uma situação grave.

[64] **Ridicularia:** coisa insignificante.

[65] **Tréguas:** acordo em que duas partes em guerra decidem parar de lutar durante um certo período.

[66] **Espaçado:** em que há espaço ou intervalos (neste caso, intervalos de tempo).

[67] **Confessional:** próprio de quem faz uma confissão (Neste contexto: narração de assuntos privados).

[68] **Balsâmico:** que provoca alívio ou consolo.

– Sinto-me muito honrado – disse Belmiro, aplicando uma simples fórmula de cortesia –, mas devo recusar. É que eu já fui professor e não resultou. Eu não sei ensinar.

– Não me vai ensinar. Vai-me acompanhar, orientar, tocar comigo, conversar sobre o meu desempenho. Como ainda agora acabou de fazer!

– Não sei... – hesitou Belmiro. – Francamente, é estranho o que me está a pedir. Não sei se sou capaz. Uma coisa dessas precisa de uma preparação especial em função de um propósito, e eu, francamente, não sei qual é aqui o propósito, desculpe.

– O propósito é tocar! Eu não sou tolinho. Evidentemente que eu não aspiro a ser um pianista brilhante, nem sequer mediano. Nada disso. Eu não quero entrar em nenhuma escala de avaliação – profissional ou amadora[69]. Quero tocar o melhor que o meu cérebro, a minha alma e os meus dedos me deixarem. Isso faz-me feliz e pago para poder ser feliz, como outros pagam para ir num safari a África ou num cruzeiro a Tenerife, percebe? O que é que isto tem de estranho?

– É invulgar, vá.

– Não sei se é. Não sei, mesmo. Ponho-me a pensar em quantas pessoas haverá neste país, ou por esse mundo afora, que tocaram piano em pequenas, que desistiram, como eu, e que sentem agora vontade de retomar o estudo do instrumento... Quando somos crianças, não controlamos as nossas emoções, todos os sentimentos estão empolados[70], qualquer coisa é o fim do mundo, acreditamos piamente[71] em pessoas com aura[72] duvidosa ou rejeitamos liminarmente orientações sensatas. Fazemos tudo por impulso.

– Não me leve a mal, mas não sei se leva a algum lado pôr um adulto a estudar um instrumento musical. Mesmo que seja alguém que tenha tido aulas de música em criança. Uma pessoa que se ponha a tocar violino passados 20 ou 30 anos depois de ter desistido deve ser uma coisa de fugir...

– Mas aí é que está! É que o piano não é um instrumento como os outros! Não é um instrumento de cordas, não é um instrumento de sopro.

– Pois não é, e depois?

[69] **Amador:** relativo àquele que exerce uma atividade por gosto e não como uma profissão.

[70] **Empolado:** aumentado.

[71] **Piamente:** absoluta e sinceramente.

[72] **Aura:** fama.

– Depois é que quando uma qualquer pessoa toca uma nota isolada no piano, sabe que a nota está certa. É essa a grande diferença. O som que sai, a afinação sai perfeita. O mesmo não acontece com o violino ou com o violoncelo ou com a guitarra, em que se não se souber dar uma escala afinada, é escusado. Isso não acontece no piano. Qualquer pessoa, tocando coisas simples, pode ter um resultado aceitável e honesto. Por isso é que quando um adulto volta ao piano, o som que sai pode não ser muito bom, mas nunca é péssimo. Isso, só por si, traz conforto à pessoa.

Constantino fez uma pausa, antes de prosseguir para a tirada final.

– De modo que, além de lhe pedir que me ajude no piano, venho-lhe também propor uma parceria[73].

– Parceria?

– Uma parceria para um negócio. O alimento espiritual, eu e o senhor já o temos, graças a Deus, que é a arte da música. Mas temos de pensar também em alimentar o corpo, não é? Eu e o senhor precisamos de ganhar a vida. Precisamos de dinheiro, vá.

Belmiro franziu o sobrolho[74] e Constantino retrocedeu[75] um pouco na sua argumentação.

– Eu, pelo menos, preciso de dinheiro. O número de pianos que vendo por ano e o trabalho das afinações mal dá para os gastos. Proponho-lhe que pense nesta proposta. Conhece certamente a iniciativa que começou em Londres e que agora está espalhada por todo o mundo, a de distribuir pianos com o letreiro *Play me* em vários locais públicos de uma cidade.

– Não conheço.

– Pois é assim. As pessoas passam, sei lá, no metro, no aeroporto, numa rua e há um piano ali, como que abandonado. Quem sabe tocar, senta-se e toca. Simples, não é? Pode ver no *Youtube*. Aparece todo o tipo de pessoas

[73] **Parceria:** relação de colaboração entre duas pessoas com vista à realização de um objetivo comum (por exemplo, a exploração de um negócio).

[74] **Franzir o sobrolho:**

[75] **Retroceder:** recuar, andar para trás.

a tocar. Até sem-abrigo[76]. A ideia teve tanto sucesso que já foi exportada para os EUA e Canadá. Eu queria fazer o mesmo cá. Tenho, para já, na minha loja quatro pianos de parede usados, mas em relativo bom estado. As Câmaras Municipais podem comprar estes pianos e outros que eu encomende. As Câmaras embarcam[77] facilmente nestas coisas, sobretudo se é uma ideia vinda do estrangeiro...

– E as Câmaras iam comprar os pianos da *sua* loja...

– Preferencialmente, sim.

– Não há aí conflito de interesses[78]?

– Se a Câmara tem interesse e se eu tenho o mesmo interesse, onde está o conflito? – inquiriu Constantino, com sinceridade.

[76] **Sem-abrigo:** pessoa que vive na rua.

[77] **Embarcar:** entrar num barco (Neste contexto: deixar-se convencer ou enganar).

[78] **Conflito de interesses:** situação em que uma pessoa não pode tomar uma decisão justa porque os resultados dessa decisão iriam beneficiá-la a ela ou a amigos seus.

[79] **Estar/Ficar inibido:** não se sentir à vontade numa certa situação.

[80] **Isco:** substância que se espeta no anzol para atrair os peixes quando se está a pescar.

[81] **A rodos:** em grande quantidade.

– Mas, de qualquer maneira, qual era o meu papel nisso? – questionou Belmiro, como se falasse consigo mesmo.

– Tocar. É muito provável que no início as pessoas fiquem inibidas[79] de tocar em público. Algumas delas saberão tocar muito pouco. O senhor tocaria sempre que se passasse muitas horas sem o piano ser usado.

– Ah, eu era uma espécie de isco[80], então.

– Eu não vejo as coisas assim. O que vejo é que o senhor podia dar um ótimo contributo ao projeto, estimulando as pessoas a tocar. Além do mais, é uma ótima maneira de o senhor se mostrar como artista e estabelecer novos contactos, ganhar outros horizontes. Que me diz?

Passado dias, Belmiro disse que sim.

Os dois homens fizeram então uma sociedade e criaram uma pequena empresa – a *Música a Rodos*[81]. Numa primeira fase, a empresa levou a cabo o projeto *Toca-me*, tal como tinha sido desenhado por Constantino, que, tal como ele previu, teve imenso sucesso. Depois, passado um ano, evoluiu para a criação de uma escola de piano para adultos que tivessem tido algum tipo de formação musical em criança. O ensino começou por ser apenas presencial, mas, passado pouco tempo, foi complementado com a publicação na Internet de vídeos tutoriais, que rapidamente se tornaram virais. O dinheiro da publicidade nos diferentes *sites* deu um grande fôlego financeiro à empresa. Belmiro e Constantino foram à televisão dar entrevistas em programas de entretenimento[82]. Escreveram um livro de autoajuda, com o título *Toca Outra Vez*, que se revelou um *best-seller*. Constantino ficou com o monopólio nacional da venda de pianos para o projeto *Toca-me* e pôde com isso comprar uma casa de campo onde dava grandes jantaradas[83], com o piano a tocar toda a noite. Belmiro passou na Antena 2[84], numa emissão em direto a partir do Conservatório. Chegou a gravar um álbum, numa editora internacional, dedicado exclusivamente a compositores portugueses – desde o Barroco, com Carlos Seixas, passando por Viana da Mota e António Fragoso, até à contemporaneidade, com Bernardo Sassetti.

[82] **Entretenimento:** que serve para entreter ou distrair.

[83] **Jantarada:** jantar abundante entre amigos.

[84] **Antena 2:** canal da rádio pública portuguesa que passa música erudita.

[85] **Revés:** desastre, contratempo.

[86] **Chorudo:** gordo; grande.

[87] **Garrafeira:** loja que vende vinho, em geral, vinho de qualidade.

[88] **Turné:** digressão; viagem com várias paragens para dar espetáculos.

[89] **Esganiçado:** com um voz muito aguda e desagradável.

A carreira de Belmiro só teve um revés[85]. Por pressão de Constantino e a troco de um patrocínio chorudo[86] de uma garrafeira[87], Belmiro viu-se obrigado a fazer uma turné[88] pelo país como pianista acompanhador de uma fadista esganiçada[89].

Exercícios

Compreensão

1. Foram retiradas seis frases do texto reproduzido a seguir. Escolha a frase que deve ser recolocada corretamente no texto.

NOTA: Há duas frases a mais. Não vai precisar delas.

A A sua dedicação, orgulho e confiança no filho foram decisivos para que Belmiro encontrasse a sua realização pessoal, ainda que profissionalmente muito limitada.

B Ao contrário de Belmiro, Constantino não teve o apoio incondicional dos pais.

C Só depois é que nos vão ser resumidos os principais momentos do percurso de vida do protagonista.

D Os dados biográficos da personagem principal costumam ser dados no início da história, sendo ela narrada em conto, novela ou romance.

E Belmiro, a princípio, não percebe isto, pois, para ele, tocar piano foi sempre uma atividade norteada por objetivos: fazer provas, dar recitais, ganhar concursos.

F A presença parental é determinante neste conto e, ao mesmo tempo, muito discreta, quase subliminar.

G Tais apreciações, quando injustamente feitas, podem deitar por terra a carreira de um excelente artista.

H É Constantino que vai incitar o pianista a arriscar-se em novos projetos, a sair da sua zona de conforto.

Neste conto, a narrativa não se inicia pela descrição pormenorizada das personagens e das circunstâncias em que elas irão desempenhar as suas ações, mas sim com a colocação em cena de um pianista a tocar num restaurante. Esta cena é muito visual, como se tudo estivesse a decorrer perante os olhos do leitor. Entramos na mente e no mundo sensório do pianista, sem sabermos nada dele. (1) ___________.

E tudo o que o narrador nos diz sobre Belmiro, assim se chama o pianista, é apologético e elogioso, quer no que toca ao seu desempenho artístico, quer no que respeita ao seu carácter. Nota-se ainda a crítica, apesar de não ser explícita, àqueles que têm a responsabilidade de ajuizar e comentar o desempenho dos jovens músicos.

(2) __________. Parece ter sido exatamente isso que aconteceu a Belmiro. Por outro lado, o narrador parece relativizar a extrema importância dada aos concursos de instrumentistas, sobretudo quando estes ainda estão em formação.

Outro ponto de relevo neste conto está na figura do pai de Belmiro.

(3) __________. E, no entanto, não há da parte do filho nenhum gesto de agradecimento, nem da parte do pai nenhum tipo de imposição ou acusação de ingratidão.

Mas é afinal um estranho que vai acionar o *volte-face* na vida de Belmiro.

(4) __________. Belmiro é, afinal, um resignado, e o seu primeiro impulso é rejeitar tudo o que exija fazer qualquer coisa fora do que sempre fez, ainda que estreitamente relacionado com o piano.

Constantino tem uma história de vida e uma personalidade oposta à de Belmiro. Talvez fosse por isso que a empresa que os dois criaram tivesse prosperado tão bem. (5) __________. Depois, notoriamente, a sua relação com o piano não era tão satisfatória como a de Belmiro, apesar de aquele ter nascido numa família de músicos. No fundo, a única coisa que os dois tinham em comum era que a atividade profissional que ambos desempenhavam estava aquém das suas potencialidades. E foi isso justamente que os juntou.

No decurso da primeira conversa que os dois tiveram naquela noite no *Sai de Gatas*, ficamos a saber não apenas das agruras, das hesitações e da intensidade emocional a que os músicos são constantemente sujeitos, mas também sobre os requisitos de execução do piano, sobre Chopin, e em particular sobre a *Balada n.º 1*. É nesse diálogo que surge o argumento ousado de que um pianista adulto pode reaprender a tocar e que vale a pena fazê-lo, ainda que isso lhe dê muito trabalho e que lhe exija muito esforço. Se esse for um meio para atingir a sua realização pessoal, ainda que não seja para dar concertos, o indivíduo deve poder ser orientado nessa tarefa.

(6) __________. Porém, no fim, com paciência e alguma teimosia, Constantino consegue convencê-lo. E o resultado foi o de uma história com final feliz.

Vocabulário

2. Escreva os antónimos de cada uma das palavras listadas abaixo. As palavras a utilizar estão glosadas no conto.

a) silêncio vs. __________

b) ocupado vs. __________

c) concentração vs. __________

d) habilidade vs. __________

e) maculado vs. __________

f) meiguice vs. __________

g) mentira vs. __________

h) percetível vs. __________

i) iludir vs. __________

j) profissional vs. __________

k) avançar vs. __________

l) ataque vs. __________

Gramática

3. Reescreva as frases utilizando as palavras dadas.

NOTA: Nos casos em que há mais de uma palavra, elas devem ser usadas sequencialmente, isto é, sem outras palavras no meio.

a) Belmiro demorava cerca de uma hora a chegar à marisqueira, porque morava na outra ponta da cidade.

o facto de

____

____

b) Belmiro sentia-se frequentemente desconfortável no momento de começar a tocar.

o desconforto

____

____

c) O professor de Educação Física não queria que Belmiro fosse prejudicado.

intenção

____

d) Só quando Belmiro acabou de tocar é que Constantino foi falar com ele.

esperou

____

e) Em nenhuma circunstância Belmiro estava disposto a ouvir desabafos sobre casamentos infelizes.

última coisa

____

____

f) Desde que o patrocínio do projeto *Toca-me* pelas Câmaras Municipais estivesse garantido, o risco financeiro era mínimo.

havendo

____

____

g) O facto de uma pessoa deixar de tocar um instrumento durante um largo período de tempo faz com que ela perca destreza motora e mental.

se

____

____

h) Não importa se o ensino da música é feito *online* ou presencialmente, desde que esse ensino seja de qualidade.

o importante

____

____

Fábula

Um cuco em cima de um tronco seco de árvore catava-se[1] com muito asseio[2] numa bela manhã de sol. A primavera chegara bastante atrasada. Ainda na semana passada tinha caído uma camadinha de geada[3] traiçoeira. O cuco, depois de tantos quilómetros a voar desde a África Central, estava bastante falho de[4] forças. Se adivinhasse, tinha vindo mais tarde, mas vá-se lá saber. Já por ali andava há dias e ainda não tinha metido o bico em coisa suculenta[5]. No papo trazia só umas sementes chochas[6] que tinha encontrado esquecidas entre a folhagem apodrecida do inverno. Nem valia a pena pensar nas cerejas dos quintais. A esta hora ainda deviam estar duras como balas de espingarda. Bom… agora era uma questão de dias até que toda a bicheza[7], da terra e do ar, se desentocasse[8]. E o conforto desta ideia fê-lo cantar:

– Cu-cuu, cu-cuu…

Cuco da Ribeira, quantos anos me dás de solteira?[9]

Os cumes de uns pinheiros-bravos na encosta ali defronte, balançando ligeiramente ao vento, pareciam acenar-lhe. Voou para lá e gostou do que

[1] **Catar(-se):** procurar parasitas no corpo.

[2] **Asseio:** limpeza, higiene.

[3] **Geada:** camada de cristais de gelo que recobre a vegetação e os objetos expostos ao ar, e que se forma devido a temperaturas negativas.

[4] **Falho de:** a que falta alguma coisa.

[5] **Suculento:** que tem sumo; carnudo.

[6] **Chocho:** sem nada dentro.

[7] **Bicheza:** grande quantidade de bichos.

[8] **Desentocar:** sair da toca (buraco onde se abrigam os animais).

[9] **Cuco da Ribeira, quantos anos me dás de solteira?**: dizer popular que servia para saber quantos anos uma moça solteira precisava de esperar para se casar. Quantas vezes o cuco cantasse, quantos anos ela tinha de esperar.

viu: pinheiros raquíticos[10] com as agulhas[11] secas e muito novelinho de lã[12]. As lagartas processionárias[13] tinham ali o seu quartel-general. Mas o cuco ainda teve de esperar. Saltaricava[14] de galho[15] em galho para matar o tempo. Depois parou, muito quieto. Afinal, estava a desperdiçar energia para nada.

Até que lhe pareceu ver, de lado, com o olho esquerdo, a primeira lagarta a tentar desembaraçar-se[16] dos fios de seda do seu ninho, num pinheiro mais pequeno logo em baixo. «Já cá cantas![17]», pensou o cuco, voando em direção à vítima.

– Ai, não me comas! – gritou a lagarta numa voz de falsete[18]. – Não me comas! Vai além àquele ninho. Estão lá as minhas primas. Elas são muito mais compridas e gordas do que eu, que sempre fui mais enfezada.

– Gosto de aperitivos[19] também – respondeu o cuco, fazendo um movimento brusco de avanço com o bico.

Mas a lagarta fintou-o e, um milésimo de segundo antes de ser bicada, deixou-se subitamente cair para um galho mais baixo. Era uma operação arriscada, mas a alternativa não era bonita. O cuco, vendo desaparecer a lagarta do bico, assim de repente,

[10] **Raquítico:** franzino, enfezado, pouco desenvolvido.

[11] **Agulhas (dos pinheiros):** folhas dos pinheiros em forma de agulha:

[12] **Novelo de lã:** os ninhos das lagartas nos pinheiros parecem novelos de lã brancos:

[13] **Lagarta processionária:**

[14] **Saltaricar:** dar pequenos saltos.

[15] **Galho:**

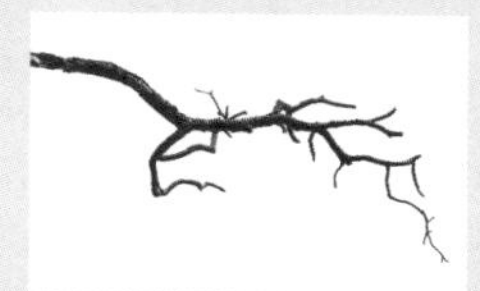

[16] **Desembaraçar-se:** livrar-se de alguma coisa; libertar-se.

[17] **Já cá canta!**: diz-se quando se sabe que uma coisa está assegurada.

[18] **Falsete:** voz aguda.

[19] **Aperitivo:** comida e bebida que se ingere antes de a refeição ser servida.

ficou meio apalermado[20]. Depois de perceber o que tinha acontecido, saiu do pinheiro e voltou a entrar mais abaixo, diretamente em direção à lagarta. Esta, vendo que a sua tentativa de despistar[21] o cuco não tinha tido resultado, passou ao contra-ataque:

– Vê-se mesmo que és filho de quem és!

– Lagarta impertinente! – respondeu o cuco, meio ofendido, meio divertido.

– Ah, é? Então, diz-me. Fala-me da tua família.

– O que tu queres sei eu! Queres conversa para prolongar o teu tempo de vida. Velho truque.

– Responde-me só a isto. Todos os sentenciados[22] têm direito a um último desejo e o meu último desejo é saber como era a tua mãe. A tua mãe era assim bonita como tu? Assim grande, de penas escuras e risquinhas brancas?

– Como te atreves a meter a minha mãe ao barulho[23]?!

– Só te fiz uma pergunta. Mas tu, como é costume nos da tua laia[24], escudam-se[25] na indignação para fugir à resposta.

– A minha mãe era uma linda ferreirinha[26], ficas a saber!

– Ah! Ah! Ah! Uma ferreirinha! Uma ferreirinha!

– Qual é a graça?

– Não tem graça nenhuma. É uma história bem triste. Trágica, melhor dizendo. E os teus irmãos? Como eram os teus irmãos?

– Eu não tive irmãos...

– Pois não! Evidentemente! Ora aí tens! Como é que uma ferreirinha, uma avezinha tão pequenina, podia alguma vez ser a progenitora[27] de um passarão[28] como tu? Já alguma vez pensaste? Não pensaste? Não pensaste porque não

[20] **Apalermado:** como um palerma, parvo ou tonto.

[21] **Despistar:** fazer perder a orientação.

[22] **Sentenciado:** que é condenado por sentença.

[23] **Meter (alguém) ao barulho:** envolver alguém como tema numa discussão.

[24] **Laia (pejorativo):** espécie.

[25] **Escudar-se:** proteger-se.

[26] **Ferreirinha:**

[27] **Progenitor:** aquele que gera, cria.

[28] **Passarão:** pássaro grande; (sentido metafórico): indivíduo manhoso.

te interessa, mas eu digo-te: a tua mãe verdadeira, a mãe-cuco, foi-te pôr, quando tu ainda eras um ovo, no ninho da ferreirinha, juntamente com os ovos desta.

– Sabes lá tu... E mesmo que seja assim como dizes, os filhos não têm nada a ver com os erros dos seus pais, no meu caso, da minha mãe...

– A tua mãe?! A tua mãe era uma parasita preguiçosa, oportunista! Aí tens!

E, neste instante, a lagarta deixou-se outra vez cair para um galho mais abaixo, não fosse o cuco, após esta tirada tão ousada[29], perder a cabeça e decidir engoli-la num ataque súbito de raiva. O cuco, porém, ficou tão espantado com a revelação da lagarta que nem pôde reagir. Ela, agora, inebriada[30] com o ódio que as suas próprias palavras destilavam[31], entrou rapidamente numa espiral de violência[32] discursiva:

– E tu? Tu ainda és pior do que a tua mãe! Tu, que saíste da casca um dia antes de os outros ovos eclodirem[33], ainda nu, cego e indefeso, trataste logo de os empurrar às arrecuas[34] para fora do ninho. Infanticida[35]! Facínora[36]!

O cuco estava agora tão confuso e nervoso que, por momentos, deixou de ver de onde é que a lagarta lhe estava a falar. A lagarta continuou.

– E depois de te tornares dono e senhor do ninho, transformaste-te num vil manipulador. Com essa tua goela vermelha toda escancarada[37], fizeste chantagem psicológica com a pobre ferreirinha. Só assim se explica ela ter-te alimentado até teres um corpo não sei quantas vezes maior do que o dela, quando a pobre podia estar mas era a tratar de acasalar e de ter a sua própria descendência.

[29] **Ousado:** atrevido.

[30] **Inebriado:** embriagado, muito entusiasmado.

[31] **Destilar:** quando um líquido é fervido e o vapor desse líquido cai gota a gota.

[32] **Espiral de violência:** situação em que a violência é cada vez maior.

[33] **Eclodir (ovo):**

[34] **Às arrecuas:** andando para trás.

[35] **Infanticida:** que assassinou uma criança.

[36] **Facínora:** criminoso, assassino.

[37] **Escancarado:** muito aberto.

Nesta fase da arenga[38], a lagarta gerou um plano. Não era um grande plano, mas no contexto do desespero em que se via, era melhor do que nada. Pensou então que se continuasse a falar assim, freneticamente, talvez conseguisse descer mais um ou dois ramos e, finalmente, atirar-se para o chão. Em chegando ao chão, enfiava-se terra adentro enquanto o Diabo esfrega um olho[39], e o cuco ficava a ver navios[40].

O cuco, curiosamente, facilitou-lhe o trabalho. Cego com a afronta[41] inesperada da lagarta, tomou ele abruptamente a palavra para desfiar uma ladainha[42] de insultos:

– Seu verme! Sua larva ordinária, bicha peluda, sevandija[43] peçonhenta[44]! Maria-vai-com-as-outras! Vais hoje na procissão, sacripanta[45]? Ias! Trata mas é de te veres ao espelho e tem vergonha! Ah, espera, dás-te mal com o espelho, já me lembro, nunca sabes se estás a ver a cara ou se estás a ver o rabo! Ah! Ah! Ah! Não fôssemos nós, os cucos, e a esta hora já nem pinhais havia. Papa-agulhas[46]! Nós, os cucos, fazemos um grande favor ao meio ambiente em comer-vos, seres repelentes, com esse corpo rastejante asqueroso[47], cheio de pelos pestilentos.

Entretanto, a lagarta desceu mais um galho.

– Esses pelos voadores infectos[48] lançados a metros de distância para os olhos dos humanos, e outros mamíferos, que andam na sua vida, sem vos fazerem mal nenhum!... Qual é o vosso problema? Têm a mania da perseguição, ou quê? É só ruindade[49], é o que é. O prazer de atacar por atacar. Divertem-se a ver os cães com os focinhos[50] inchados e as criancinhas com urticária... Acham um espetáculo bonito!

[38] **Arenga:** discurso longo e fastidioso.

[39] **Enquanto o Diabo esfrega um olho (expressão idiomática):** muito rapidamente.

[40] **Ficar a ver navios:** não conseguir o que se deseja.

[41] **Afronta:** ofensa.

[42] **Ladainha:** enumeração longa e aborrecida.

[43] **Sevandija:** animal imundo e parasita.

[44] **Peçonhento:** que tem peçonha; venenoso; que envenena.

[45] **Sacripanta:** pessoa que se mostra muito religiosa, mas que verdadeiramente não o é.

[46] **Papa-agulhas:** que papa/come agulhas dos pinheiros.

[47] **Asqueroso:** repugnante.

[48] **Infecto:** que tem infeção.

[49] **Ruindade:** qualidade daquele que é ruim, mau.

[50] **Focinho:** cara dos animais.

Neste momento, a lagarta estava em equilíbrio precário[51] entre duas agulhas, mas o chão ainda estava muito longe. Não era prudente deixar-se cair. Não partia nenhum osso, mas podia ficar inconsciente por alguns minutos e isso ser-lhe-ia fatal. Fez-se silêncio por segundos. Depois de relocalizar a lagarta e a seguir voar para mais junto dela, o cuco continuou:

– Mas para grandes males, grandes remédios! Mais dia, menos dia[52] aparecem por aí uns homens todos encapuzados[53] a pulverizar inseticidas por todo o lado, como já vi fazerem noutros pinhais. É o que vocês merecem! Que vos acabem com a raça!

– E se nos intoxicarem, tu comes o quê, ó palerma?

Dizendo isto, a lagarta desequilibrou-se e estatelou-se[54] no chão. Nesse preciso momento, passou em voo rasante[55] um chapim azul, que abalou, horizonte afora, com a lagarta no bico.

Moralidade da fábula: as coisas são o que são.

[51] **Equilíbrio precário:** equilíbrio (igualdade de pesos sobre um corpo) que é difícil de manter e que a qualquer momento pode deixar de existir.

[52] **Mais dia, menos dia:** um dia destes, em breve.

[53] **Todo encapuzado:** que traz capuz. (Neste contexto):

[54] **Estatelar-se:** cair e ficar estendido no chão.

[55] **Rasante:** rente (muito perto) do chão.

Exercícios

Compreensão

1. Escolha a opção correta, de acordo com o sentido do texto.

1. O cuco estava enfraquecido devido
   a) ao frio e à prolongada espera.
   b) ao esforço da viagem e fome.
   c) a ter chegado demasiado cedo.
   d) aos insetos não aparecerem.

2. Os pinheiros raquíticos são um bom sinal para o cuco porque
   a) é o resultado da atividade das lagartas.
   b) sem rama os pinheiros deixam ver melhor as minhocas.
   c) permitem-lhe saltar de galho em galho.
   d) os pinheiros não abanam tanto.

3. A lagarta manda o cuco ir comer as primas dela para
   a) ganhar tempo.
   b) vingar-se delas.
   c) despistá-lo.
   d) evitar a morte.

4. O contra-ataque da lagarta consistiu em
   a) dizer a verdade.
   b) dizer uma mentira.
   c) insultar.
   d) humilhar.

5. A reação do cuco, insultando a lagarta
   a) aliviou-o.
   b) beneficiou-o.
   c) prejudicou-o.
   d) enervou-o.

6. A moralidade de uma fábula é
   a) a conclusão da história.
   b) a separação entre o bem e o mal.
   c) um ensinamento.
   d) uma condenação.

Vocabulário

2. Indique se as afirmações são verdadeiras (V) ou falsas (F). Corrija as falsas.

- [ ] a) «Falho» é um adjetivo da família de «falhar».
- [ ] b) «Chochas», no conto, quer dizer «pouco inteligentes».
- [ ] c) «Desentocar» é uma palavra derivada do verbo «tocar».
- [ ] d) «Novelinho» é um diminutivo.
- [ ] e) «Já cá cantas!» é usado no conto com um duplo sentido, porque o cuco canta.
- [ ] f) «Pistar» é antónimo de despistar.
- [ ] g) «Meter ao barulho» significa «trazer à discussão».
- [ ] h) «Passarão», no conto, tem um duplo sentido: pássaro grande e indivíduo trapaceiro.
- [ ] i) «Eclodir» é um termo científico.
- [ ] j) «Arenga» é antónimo de «ladainha».
- [ ] k) «Verme», no conto, é usado como um insulto, apesar de a lagarta ser, de facto, um verme.

Gramática

3. Para cada alínea, junte as duas frases para formar uma só, recorrendo às palavras dadas.

NOTA: Há alterações gramaticais que precisam de ser feitas.

a) O cuco faz a viagem de África até à Europa. O cuco fica cansado.

sempre

____

____

b) O cuco não reparou nas diferenças físicas que o distinguem da sua mãe adotiva. O cuco ficou surpreendido com as acusações da lagarta.

como

____

____

c) O cuco recém-nascido saiu do ovo antes dos irmãos. O cuco pôde atirar os outros ovos para fora do ninho.

se

____

____

d) A lagarta queria chegar ao chão. Ela podia, assim, enterrar-se e escapar ao bico do cuco.

para

____

____

e) A lagarta conseguiu escapar ao cuco. Ela acabou mal na mesma.

embora

____

____

f) A lagarta estava condenada. Só dando-se um milagre.

a menos que

____

____

g) Há pessoas muito obcecadas com as suas ideias moralizantes. Elas nem veem a realidade que têm à frente dos olhos.

tão **que**

____

____

Soluções

A traição das badaladas

1. 1. b); 2. b); 3. d); 4. a); 5. a); 6. b)
2. Monólogo 2
3. a) conluio; b) esgar; c) tirano; d) enfezado; e) espevitado; f) sepulcral; g) soslaio; h) imundo; i) arguto
4. a) A diferença de idade entre as três irmãs era de dois anos.

   b) O pai não se interrogava sobre o silêncio sepulcral das raparigas, porque andava/ /estava constantemente cansado.

   c) As três irmãs conseguiam suportar os castigos sofridos, rindo-se da mãe.

   d) Apesar de o Latróias ser um homem inofensivo, as raparigas tinham muito medo dele, por causa do mau cheiro que exalava e da sua roupa imunda.

   e) O escândalo do «Baile da Gravata e Meia» dificultou a obtenção da autorização da mãe para saírem.

   f) Se andassem fora de casa mais de duas horas, as três irmãs eram castigadas.

   g) Quando a mãe perguntou quem tinha atrasado o relógio, as três manas não disseram nada.

   h) Se não fosse por causa do sino do relógio da Sé, a mãe não descobria/descobriria que as filhas tinham atrasado o relógio da sala.
5. 1. no; 2. a; 3. de; 4. de; 5. de; 6. para; 7. à; 8. a; 9. do; 10. à

Ressentimento

1. Informações erradas:

   1.ª «... sugeriu à mulher que fizesse alguns trabalhos de costura para fora.»: o texto não refere nenhuma intervenção de José Morgado na atividade profissional da esposa. 2.ª «... o primo traiu-o e, como sabia onde estavam as caixas das garrafas, disse aos seus amigos para as irem roubar, sob o pretexto da ideologia.»: não há nenhuma ligação entre o roubo e o primo. 3.ª «O facto de ninguém ter sido preso nessa altura...»: o «Pencas» foi preso. 4.ª «... José Morgado facilmente se deixou convencer pelos convivas do café do seu bairro...»: José Morgado apenas ouvia as conversas, que nem sequer lhe eram dirigidas. 5.ª «... o país, logo após o 25 de Abril, conseguiu rapidamente atenuar as tensões sociais e económicas.»: as ocupações de casas e de empresas eram a prova de que havia muita perturbação social.
2. a) ordenado; b) biscate; c) penca; d) gabarito; e) poupado; f) refrear; g) tralha; h) alojar; i) manigância; j) despegar; k) dispensar

3. a) sentiam-nas; b) ligá-la; c) as havia; d) pô-las; e) levá-las; f) os guardava; g) a geriam; h) tomavam-nas; i) pô-los; j) o foi buscar/foi buscá-lo

4. a) desejava; b) tinha estado; c) conseguia/conseguiria; d) era; e) trouxe, fazia; f) foram interrogados; g) orgulhava; h) mantinha; i) rouba; j) foi estimulada; k) teria/tinha; l) formos; m) terem; n) tivesse guardado/guardasse; o) soubesse; p) deveu; q) livrarem; r) tinham desaparecido; s) era guardado

Com o rei na barriga

1. 1. c); 2. b); 3. d); 4. a); 5. c); 6. c); 7. b); 8. b); 9. b)

2. a) ~~inferência~~ – deferência; b) ~~destemperado~~ – desmesurado; c) ~~novelos~~ – desvelos; d) ~~devastação~~ – degustação; e) ~~desacato~~ – recato; f) ~~imperdoável~~ – imperscrutável; g) ~~hérnia~~ – vénia; h) ~~meter~~ – deter; i) ~~arrepiado~~ – arreliado; j) ~~incrível~~ – incrédulo; k) ~~pardo~~ – fardo; l) ~~ternuras~~ – agruras; m) ~~íngreme~~ – íntegro; n) ~~enganadores~~ – usurpadores; o) ~~travesseiros~~ – trapaceiros; p) ~~regredir~~ – denegrir; q) ~~calçado~~ – calcado; r) ~~arrepiante~~ – ultrajante; s) ~~desarrumar~~ – descurar; t) ~~praticar~~ – praguejar; u) ~~absinto~~ – afinco; v) ~~abundância~~ – manigância; w) ~~burrinho~~ – burburinho; x) ~~moela~~ – goela.

3. a) seja; b) estivessem; c) contratasse; d) esforçasse; e) fores; f) quiseres, seja; g) retirem; h) passasse; i) seja feita; j) ler; k) merecessem; l) tivesse; m) vivamos; n) foi atribuído; o) houvesse

Perguntar não ofende?

1. 1. d); 2. g); 3. e); 4. i); 5. b); 6. c); 7. j); 8. a); 9. h); 10. f)

2. 1. magano; 2. chorrilho; 3. gatunagem; 4. matulão; 5. berço; 6. barafustar; 7. depor; 8. angariar; 9. amparar; 10. ofegante

3. a) Quem quisesse ver-se insultado, era perguntar a alguém de Mortágua «Quem matou o juiz?».

   b) O povo de Mortágua vingou-se do juiz vilão.

   c) Quem atirou o juiz ao rio é coisa que ainda hoje não se sabe.

   d) Ninguém em Mortágua confessou o crime.

   e) Tomás da Fonseca, antes de escrever o seu livro sobre o juiz de Mortágua, assegurou-se da veracidade dos factos.

   f) Bonifácia era fadista em Lisboa, mas depois mudou-se para a aldeia.

   g) Era uma mulher muito emotiva e, ao primeiro impulso, atirou-se para os braços do capitão.

   h) Depois da morte do Capitão, a tia Bofareta deu-se mal, pois ficou sem rendimentos próprios e tinha de pedir esmola.

i) Intrigou a Polícia estarem a ocorrer tantos crimes num tão curto período de tempo.

j) Havia quem se risse da história do avô de Augusto Rambóias, mas este não lhe achava graça nenhuma.

k) Os Silva asseguraram o abastecimento da carne para a boda de casamento à custa de Augusto.

l) A resposta de Augusto irritou o polícia.

m) Augusto apercebeu-se de que havia alguma coisa de errado na boda quando viu que havia muitos pratos à base de galinha.

n) Augusto não se podia calar! Enquanto não acusasse os convivas da boda de cumplicidade no roubo das galinhas, não sossegava.

o) As consequências do roubo das galinhas nunca se fizeram sentir, dado que ninguém foi castigado. Tal como em Mortágua, em Rocas também ninguém se acusou.

O engenheiro Franco

1. 1. b); 2. d); 3. a); 4. b); 5. c); 6. c); 7. b)

2. a) arsenal; b) alienar; c) partilha; d) hábil; e) ressarcir; f) desavença; g) silhueta; h) magicar

3. a) pudesse; b) pense; c) vá, vai; d) merecesse; e) está; f) deixa; g) regressasse; h) era, fosse; i) regenerou, regenerasse; j) receba

4. a) Sendo os lameiros muito rentáveis na produção agrícola, é natural que sejam os terrenos mais cobiçados.

   b) Mário Mocas nada podia fazer para recuperar o seu dinheiro.

   c) A boa aparência de uma pessoa aumenta a probabilidade de esta gerar mais empatia.

   d) Parece impossível que Franco tenha trocado a namorada por um par de botas!

Aulas de condução

1. 1. d); 2. b); 3. h); 4. a); 5. e); 6. f)

2. a) agravante; b) guloso; c) abnegação; d) mudança; e) canonizado; f) venenoso; g) atalhar; h) desmoronamento

3. a) quiser; b) fizer; c) quisesse; d) tivesse; e) estivesse; f) seja; g) esteja, esteja; h) conduzisse; i) fossem, Fosse, fosse; j) fosse; k) estejam

Luís Toiros

1. 1. c; 2. b); 3. d; 4. c); 5. d); 6. a); 7. c)
2. a) passava; b) de; c) fazer; d) dar; e) Faz; f) correm; g) deu; h) à; i) fez
3. a) deviam/devem, deve/tem de; b) tinham de; c) devemos; d) podia; e) tiveram de; f) teve de; g) podiam; h) deviam; i) podia; j) poderia/podia
4. a) Antigamente, era raro o aluno que se pudesse/podia gabar de nunca ter apanhado pancada.

   b) Ainda que conhecesse todas as letras do alfabeto, Luís não tinha fluência de leitura.

   c) A morte de 15 ovelhas do rebanho fez com que o pai decidisse vender as restantes.

   d) Nas aldeias, seja quais forem as habilitações que a pessoa venha a ter, ela será sempre tratada pela alcunha da família.

Exibicionismos (ou três anedotas com uma longa introdução teórica)

1. 1. f); 2. e); 3. a); 4. i); 5. g); 6. b); 7. d); 8. h); 9. c)
2. 1. E, H; 2. B, D
3. 1. c); 2. b)
4. 1. liminarmente; 2. incutir; 3. remoer; 4. debitar; 5. abastado; 6. gabar; 7. cabedal; 8. prosperar; 9. cauda; 10. despojamento.
5. 1. Tudo; 2. Qualquer; 3. cada; 4. ninguém; 5. aquele

Pianíssimo

1. 1. c); 2. g); 3. a); 4. h); 5. b); 6. e)
2. a) chinfrineira; b) vago; c) alienação; d) inépcia; e) imaculado; f) ferocidade; g) verdade; h) impercetível; i) desiludir; j) amador; k) retroceder; l) trégua(s)
3. a) O facto de morar na outra ponta da cidade fazia com que Belmiro demorasse cerca de uma hora a chegar à marisqueira.

   b) O desconforto que Belmiro sentia no momento de começar a tocar era frequente.

   c) O professor de Educação Física não tinha a intenção de prejudicar Belmiro.

   d) Constantino esperou que Belmiro acabasse de tocar e só depois é que foi falar com ele.

   e) A última coisa que Belmiro queria ouvir era desabafos sobre casamentos infelizes.

   f) Havendo a garantia do patrocínio das Câmaras Municipais para o projeto «Toca-me», o risco financeiro era mínimo.

g) Se uma pessoa deixar de tocar um instrumento durante um largo período de tempo, ela perde destreza motora e mental.

h) O importante é que o ensino da música seja de qualidade, quer seja ele feito *online* ou presencialmente/independentemente de ser feito *online* ou presencialmente.

Fábula

1. 1. b); 2. a); 3. d); 4. a); 5. c); 6. c)

2. a) V; b) F («Chochas», no conto, quer dizer «ocas»); c) F («Desentocar» é uma palavra derivada do nome «toca»); d) V; e) F («Já cá cantas!» é uma expressão idiomática que significa que alguma coisa está assegurada em nosso favor. A ação de cantar não deve ser tomada à letra); f) F («pistar»: emitir um som); g) V; h) V; i) V; j) F («Arenga» é sinónimo de «ladainha»); k) V

3. a) Sempre que o cuco faz a viagem de África até à Europa fica cansado.

b) Como não reparou nas diferenças físicas que o distinguem da sua mãe adotiva, o cuco ficou surpreendido com as acusações da lagarta.

c) Se o cuco recém-nascido não tivesse saído do ovo antes dos irmãos, ele não podia/poderia atirar os outros ovos para fora do ninho.

d) A lagarta queria chegar ao chão para, assim, se poder enterrar e escapar ao bico do cuco.

e) Embora a lagarta conseguisse/tivesse conseguido escapar ao cuco, ela acabou mal na mesma.

f) A menos que se desse um milagre, a lagarta estava condenada.

g) Há pessoas tão obcecadas com as suas ideias moralizantes que nem veem a realidade que têm à frente dos olhos.

Índice remissivo de conteúdos gramaticais